GW00673283

LES HUIT MONTAGNES

Paolo Cognetti, né à Milan en 1978, est l'auteur de plusieurs recueils de nouvelles – dont *Sofia s'habille toujours en noir*, finaliste du prix Strega (Liana Levi, 2013) –, d'un guide littéraire de New York et d'un carnet de montagne, *Le Garçon sauvage* (Éditions Zoé, 2016). *Les Huit Montagnes*, son premier roman, en cours de traduction dans trente-trois pays, a obtenu le prix Strega 2017.

PAOLO COGNETTI

Les Huit Montagnes

ROMAN TRADUIT DE L'ITALIEN PAR ANITA ROCHEDY

STOCK

Titre original :

LE OTTO MONTAGNE
Publié par Giulio Einaudi, Turin, 2016.

Les Huit Montagnes est aussi un livre audio
disponible aux éditions Audiolib.
Écoutez un extrait, lu par Emmanuel Dekoninck.

écoutez, c'est un livre !

Adieu ! adieu, mais je te dis ceci,
À toi, Invité de la fête !
Il prie bien, celui qui aime bien,
À la fois l'homme, et l'oiseau, et la bête.

S. T. Coleridge,
La Complainte du vieux marin

Mon père avait une façon bien à lui d'aller en montagne. Peu versée dans la méditation, tout en acharnement et en bravade. Il montait sans économiser ses forces, toujours dans une course contre quelqu'un ou quelque chose, et quand le sentier tirait en longueur, il coupait par la ligne la plus verticale. Avec lui, il était interdit de s'arrêter, interdit de se plaindre de la faim, de la fatigue ou du froid, mais on pouvait chanter une belle chanson, surtout sous l'orage ou en plein brouillard. Et dévaler les névés en lançant des cris d'Indiens.

Ma mère, qui l'avait connu enfant, disait que même alors, il n'attendait personne, trop occupé qu'il était à rattraper tous ceux qu'il voyait plus haut : c'est qu'il en fallait de bonnes jambes pour se montrer désirable à ses yeux, et dans un éclat de rire elle laissait entendre qu'elle l'avait conquis ainsi. Avec le temps, elle finit par bouder leurs ascensions, préférant s'asseoir dans les prés, tremper les pieds dans l'eau, ou deviner le nom des herbes et des fleurs. Et même sur les sommets, elle aimait surtout observer les cimes plus lointaines, repenser à celles de sa jeunesse et se remémorer quand elle y était allée et avec qui, pendant que mon père se laissait gagner par quelque chose comme du dépit et ne demandait qu'à rentrer.

C'étaient, je crois, des réactions opposées à une même nostalgie. Mes parents avaient émigré en ville vers l'âge de trente ans, quittant la campagne vénitienne où ma mère était née et où mon père, orphelin de guerre, avait grandi. Leurs premières montagnes, leur premier amour, ça avait été les Dolomites. Il leur arrivait parfois de les nommer dans leurs conversations, quand j'étais encore trop petit pour suivre ce qu'ils disaient, mais certains mots retentissaient à mes oreilles par leurs sonorités plus fortes, plus lourdes de sens. Le Catinaccio, le Sassolungo, les Tofane, la Marmolada. Mon père n'avait qu'à prononcer l'un de ces noms, et les yeux de ma mère brillaient.

Leur amour était né sur ces terres, je finis moi aussi par le comprendre : tout ça grâce à un prêtre qui les y emmena quand ils étaient enfants, celui-là même qui les maria, au pied des Tre Cime di Lavaredo, devant la petite église qu'il y a là, par un matin d'automne. Ce mariage en montagne était le mythe fondateur de notre famille : rejeté par les parents de ma mère pour des raisons que je ne connaissais pas, célébré entre quatre amis, avec des anoraks pour tout habit de noces, et un lit au refuge d'Auronzo pour leur première nuit de mari et femme. La neige brillait déjà sur les vires de la Cima Grande. C'était un samedi d'octobre 1962, la fin de la saison alpine pour cette

année comme pour bien d'autres à venir : le lendemain, ils chargèrent dans la voiture leurs lourdes
chaussures en cuir, leurs pantalons de zouave, une
grossesse pour elle, un contrat d'embauche pour lui,
et s'en allèrent à Milan.

Le calme n'était guère une vertu qui impressionnait
mon père. En ville, pourtant, celle-ci lui aurait plus
servi que son souffle. À Milan, le panorama était bien
là : dans les années 1970, nous habitions l'immeuble
d'un grand boulevard sous le bitume duquel, disait-
on, coulait la rivière Olona. Il est vrai que, les jours de
pluie, la route se retrouvait sous l'eau – et j'imaginais
le fleuve rugir dans le noir, se gonfler jusqu'à débor-
der des bouches d'égout – mais c'était l'autre fleuve,
celui des voitures, fourgons, motos, camions, auto-
bus, ambulances, qui restait toujours en crue. Nous
logions en haut, au septième étage : les deux rangées
d'immeubles identiques qui contenaient la route
amplifiaient le vacarme. Certaines nuits, mon père
n'en pouvait plus, sautait du lit, ouvrait la fenêtre
en grand comme pour insulter la ville, lui intimer le
silence ou lui jeter de l'huile bouillante ; il restait une
minute à regarder en bas, puis enfilait sa veste et s'en
allait faire un tour.

Derrière ces vitres on voyait beaucoup de ciel.
Blanc uniforme, indifférent aux saisons, labouré uniquement par le vol des oiseaux. Ma mère s'obstinait à
faire pousser des fleurs sur un maigre balcon asphyxié
par les gaz d'échappement et moisi par des pluies

séculaires. Elle prenait soin de ses petites plantes tout en me racontant les vignobles d'août, dans la campagne où elle avait grandi, ou les feuilles de tabac qu'on mettait à pendre sur des perches pour les faire sécher, ou les asperges qui, pour qu'elles gardent toute leur blancheur et leur tendresse, devaient être cueillies avant qu'elles ne pointent leur tête, aussi fallait-il un talent particulier pour les deviner encore sous terre.

Son œil de lynx lui servait à tout autre chose, maintenant. Elle qui avait été infirmière en Vénétie décrocha à Milan une place d'assistante sanitaire aux Olmi – le quartier des ormes – dans la banlieue ouest de la ville. Sa fonction, comme le centre familial où elle l'exerçait, venait d'être créée pour accompagner les femmes pendant leur grossesse et suivre les nouveaunés dans leur première année de vie : c'était le travail de ma mère, et elle aimait le faire. Sauf que là où on l'avait envoyée, on aurait plutôt dit une mission. Des ormes, il n'y en avait pas beaucoup de ce côté de la ville : toute la toponymie du quartier, avec ses *vie degli Ontani*, *degli Abeti*, *dei Larici*, *delle Betulle*, paraissait bien grotesque au milieu de ces barres de douze étages infestées de tous les maux, où il n'y avait ni aulnes, ni sapins, ni mélèzes, ni bouleaux. Ma mère avait entre autres responsabilités de contrôler l'environnement dans lequel les enfants grandissaient, et c'étaient des visites dont elle mettait des jours à se remettre. Les cas les plus graves, elle devait les signaler au tribunal des mineurs. En arriver là lui coûtait beaucoup d'efforts, en plus d'un bon lot d'insultes et de menaces, mais elle était persuadée que sa décision était la bonne. Elle n'était d'ailleurs pas la seule à le croire : aux assistantes sociales, aux éducatrices, aux maîtresses d'école, elle était liée par un profond esprit de corps – comme une responsabilité féminine et collective vis-à-vis de ces enfants.

Mon père, au contraire, avait toujours été un solitaire. Il travaillait en tant que chimiste dans une usine de dix mille ouvriers constamment agitée par des grèves et des licenciements, et il pouvait arriver n'importe quoi là-dedans, il rentrait chaque soir rempli de colère. Pendant le repas, il fixait le journal télé sans dire un mot, les couverts à l'arrêt dans ses poings levés, comme s'il s'attendait à tout moment à ce qu'éclate une autre guerre mondiale, et il bouillait intérieurement à chaque nouvelle annonce de mort par balles, chaque crise ministérielle, chaque augmentation du prix du pétrole, chaque bombe aux origines obscures. Avec les rares collègues qu'il invitait à la maison, il ne parlait presque que de politique, et finissait toujours par se fâcher. Il faisait l'anticommuniste avec les communistes, le radical avec les catholiques, le libre-penseur avec tous ceux qui prétendaient le ranger derrière une église ou l'insigne d'un parti ; mais l'époque n'était pas de celles où il faisait bon refuser les étiquettes, et les collègues de mon père cessèrent de venir. Lui, il continua à aller à l'usine comme s'il devait descendre chaque matin dans une tranchée. Et à ne pas dormir de la nuit, à tout serrer trop fort, à se boucher les oreilles et à prendre de l'aspirine contre ses maux de tête, à s'emporter dans de violents accès de rage : ma mère intervenait alors, elle qui s'était retrouvée avec entre autres devoirs conjugaux celui de l'apaiser, d'amortir les coups dans la rixe entre mon père et le monde.

Dans la maison, ils parlaient encore le dialecte vénitien. À mes oreilles, c'était leur langage secret à tous les deux, écho d'une vie précédente et mystérieuse. Un vestige du passé, comme les trois photographies que ma mère avait mises bien en vue sur le guéridon, à l'entrée. Je m'arrêtais souvent pour les observer : la première montrait ses parents à Venise, lors de leur seul et unique voyage, cadeau de mon grand-père à ma grand-mère pour leurs noces d'argent. Sur la deuxième, toute la famille prend la pose pendant la saison des vendanges : les grands-parents assis au milieu, trois filles et un garçon debout autour d'eux, les paniers de raisins sur le perron. Sur la troisième, leur unique garçon, mon oncle, sourit à côté de mon père devant la croix d'un sommet, une corde enroulée sous le bras, en tenue d'alpiniste. Comme il était mort jeune, j'avais hérité de son nom, même si l'usage dans la famille voulait que je m'appelle Pietro, et lui Piero. Je ne connaissais pourtant aucune de ces personnes. Jamais on ne m'emmena chez elles, et jamais elles ne vinrent nous rendre visite à Milan. Quelques fois par an, ma mère prenait un train le samedi matin, revenait le dimanche soir un peu plus triste qu'elle n'était partie, puis chassait ses idées noires et la vie continuait. Il y avait trop de choses à faire, trop de gens à aider pour se laisser aller à la mélancolie.

Mais ce passé refaisait surface aux moments les plus inattendus. En voiture, sur le long trajet qui devait me conduire moi à l'école, ma mère au centre, et mon père à l'usine, certains matins, ma mère entonnait une vieille chanson. Elle attaquait le premier couplet dans les bouchons et mon père, peu après, se joignait à elle. Leur répertoire racontait la montagne et la Grande Guerre. *La Tradotta, La Valsugana, Il Testamento del capitano*, autant d'histoires que je finis moi aussi par connaître par cœur : ils étaient vingt-sept lorsqu'ils étaient partis au front, cinq seulement quand ils en étaient revenus. Là-bas, au bord du Piave, était restée une croix qu'une mère irait tôt ou tard chercher. Une amoureuse lointaine attendait, soupirait puis se lassait d'attendre et en épousait un autre ; quelqu'un sur son lit de mort lui envoyait un baiser et demandait pour lui une fleur. Il y avait des mots en dialecte, dans ces chansons, j'en déduisais que mes parents les avaient ramenées de leur vie d'avant, mais je devinais quelque chose d'autre, de plus troublant, comme si ces chansons, par je ne sais quel mystère, parlaient aussi d'eux. D'eux en personne, je veux dire, je ne pouvais m'expliquer autrement l'émotion évidente que leurs voix trahissaient.

Et puis, les rares fois où il y avait du vent, en automne ou au printemps, à l'autre bout des grands boulevards de Milan, les montagnes apparaissaient. Ça arrivait après un tournant, sur un saut-de-mouton, et les yeux de mes parents, sans qu'aucun dise rien à l'autre, y couraient aussitôt. Les cimes étaient blanches, le ciel inhabituellement bleu, une impression de miracle. En bas, dans cette plaine qui était la nôtre, il y avait les usines en ébullition, les HLM surpeuplés, les heurts entre police et manifestants, les enfants battus, les filles-mères ; là-haut : la neige. Ma mère demandait quelles montagnes c'étaient, et mon père regardait autour de lui comme pour régler sa boussole sur la géographie urbaine. On est où, là, sur le viale Monza, le viale Zara ? Alors c'est la Grigna, disait-il, après réflexion. Oui, ça doit être elle. Je connaissais bien son histoire : la Grigna était une guerrière sanguinaire d'une grande beauté, elle faisait tuer à coups de flèches les chevaliers qui montaient lui déclarer leur flamme, si bien que Dieu l'avait punie en la transformant en montagne. Et voilà qu'elle se retrouvait au milieu de notre pare-brise, sous nos trois regards admiratifs, chacun avec une pensée différente et silencieux. Puis le feu passait au vert, un piéton traversait en courant, quelqu'un derrière klaxonnait, mon père l'envoyait paître et passait sa colère sur le boîtier de vitesses, accélérant la fin de ce moment de grâce.

Vint la fin des années 1970 et, alors que Milan était à feu et à sang, ils ressortirent leurs chaussures de marche. Ils ne mirent pas le cap à l'est, d'où ils étaient venus, mais à l'ouest, comme pour reprendre la fuite : direction l'Ossola, la Valsesia, le val d'Aoste, montagnes plus hautes et sévères. Ma mère me raconterait plus tard que, la première fois, un sentiment inattendu d'oppression l'avait envahie. Comparées aux doux profils de la Vénétie et du Trentin, ces vallées occidentales lui paraissaient étroites, sombres, fermées telles des gorges ; la roche était humide et noire, torrents et cascades dévalaient de partout. Qu'est-ce qu'il y a comme eau, pensa-t-elle. Il doit pleuvoir des cordes ici. Elle ne savait pas que toute cette eau venait d'une source exceptionnelle, ni que mon père et elle allaient justement à sa rencontre. Ils remontèrent la vallée jusqu'à se retrouver suffisamment en hauteur pour sortir de nouveau au soleil : là-haut, le paysage s'ouvrit et soudain, devant leurs yeux, se dressait le mont Rose. Un monde arctique, un hiver éternel qui planait sur les pâturages estivaux. Ma mère prit peur. Mon père, en revanche, disait que ça avait été comme découvrir un nouvel ordre de grandeur, venir des montagnes des hommes et se retrouver au milieu de celles des géants. Et forcément, il en tomba aussitôt amoureux.

J'ignore le lieu exact où nous étions, ce jour-là. Qui sait si nous étions à Macugnaga, Alagna, Gressoney ou Ayas. À l'époque, nous changions d'endroit chaque année, au gré du nomadisme intranquille de mon père, tout autour de la montagne qui l'avait conquis. Moi, plus que des vallées, je me souviens de nos maisons, si tant est qu'on puisse les appeler ainsi : nous louions un bungalow dans un camping ou quelque chambre d'hôte dans un village, et y restions deux semaines. Il n'y avait jamais assez de place pour rendre ces endroits accueillants, ni de temps pour s'attacher à quoi que ce soit, mais ce n'était pas le souci de mon père, l'idée ne l'effleurait même pas. Nous étions à peine arrivés qu'il changeait déjà de tenue : il tirait de son sac sa chemise à carreaux, un pantalon en velours côtelé, un gros pull en laine ; retrouvant ses vieilles fripes il devenait un autre homme. Il passait ces brèves vacances sur les sentiers, sortant au petit matin et revenant le soir ou le lendemain, couvert de poussière, brûlé par le soleil, fatigué et heureux. Au dîner, il nous racontait les chamois et les bouquetins, les nuits en bivouac, les ciels étoilés, la neige qui à ces hauteurs tombait même au mois d'août et, quand il était vraiment content, il concluait : j'aurais tellement aimé que vous soyez là, avec moi.

Le fait est que ma mère refusait de monter sur le glacier. Elle en avait une peur irrationnelle dont elle ne pouvait se défaire : elle disait que pour elle la montagne s'arrêtait à trois mille mètres, l'altitude de ses Dolomites. Aux trois mille, elle préférait les deux mille – les prairies, les torrents, les forêts – mais affectionnait aussi particulièrement les mille, la vie de ces villages de bois et de pierre. Quand mon père partait, elle aimait m'emmener faire un tour, boire un café en terrasse, s'asseoir avec moi dans un pré pour lire un livre, échanger quelques mots avec

18

les gens qui passaient. Ce qu'elle regrettait, c'étaient surtout nos déplacements incessants. Elle voulait une maison où faire son nid et un village auquel revenir, c'est ce qu'elle demandait souvent à mon père : il répondait que nous n'avions pas les moyens de payer un autre loyer en plus de celui de Milan, elle négocia une somme raisonnable, et il la laissa entamer ses recherches.

Le soir, une fois les restes du repas débarrassés, mon père étalait une carte topographique sur la table et étudiait l'itinéraire du lendemain. Il avait sous le coude un carnet gris du Club alpin et un demi-verre de grappa qu'il sirotait de temps en temps. Ma mère profitait de ce moment de répit pour s'asseoir dans le canapé ou sur le lit et se plonger dans un roman : pendant une heure ou deux, elle se laissait happer, et c'était comme si elle n'était plus là pour personne. Je montais alors sur les genoux de mon père pour voir ce qu'il faisait. Je le trouvais léger et affable, tout le contraire du père de la ville auquel j'étais habitué. Il était heureux de me montrer sa carte et de m'apprendre à la lire. Ça, c'est un torrent, m'expliquait-il, ça, c'est un petit lac, et ça, là, c'est un groupe de *baite*[1]. Ici, à la couleur, tu peux reconnaître la forêt, la prairie alpine, la pierraille, le glacier. Les courbes

---

1. La *baita* (au pluriel : *baite*) est un petit chalet d'alpage des régions alpines. Elle peut servir d'habitat permanent mais est le plus souvent utilisée comme refuge saisonnier pour les hommes, le bétail ou les récoltes. (*Toutes les notes sont de la traductrice.*)

indiquent l'altitude : plus elles sont resserrées, plus la montagne est raide, si raide qu'à la fin on ne peut plus monter ; là où elles se font plus rares, la pente s'adoucit, c'est ici que passent les sentiers, tu vois ? Les points avec des chiffres à côté, ce sont les sommets. C'est sur les sommets qu'on va. On ne descend pas tant qu'on n'est pas arrivé tout en haut, t'as compris ?

Non, je ne pouvais pas comprendre. Il fallait que je le voie, ce monde qui lui procurait autant de joie. Des années plus tard, quand nous commençâmes à marcher ensemble, mon père disait qu'il se rappelait très bien le jour où j'avais montré les premiers signes de ma vocation. Un matin, ma mère dormait encore, il s'apprêtait à sortir quand, au moment de lacer ses chaussures, il s'était retrouvé nez à nez avec moi, habillé et prêt à le suivre. J'avais dû me préparer dans mon lit. Dans le noir, je lui avais fait peur, lui paraissant plus grand que mes six ou sept ans : quand il racontait cette anecdote, j'étais déjà celui que je serais devenu plus tard, le présage d'un fils adulte, un fantôme du futur.

« Tu ne veux pas rester dormir encore un peu ? m'avait-il demandé, à voix basse pour ne pas réveiller ma mère.

— Je veux venir avec toi », lui avais-je répondu. C'est en tout cas ce qu'il affirmait, mais peut-être était-ce simplement la phrase qu'il aimait à se rappeler.

PREMIÈRE PARTIE

Montagne d'enfance

I

Le village de Grana se trouvait dans l'embranchement d'une de ces vallées, ignorée des voitures qui
passaient comme une possibilité hors de propos, fermée en haut par des crêtes gris métallisé et en bas par
une falaise qui barrait la route. Sur cette falaise, les
restes d'une tour surveillaient des champs redevenus
sauvages. Un chemin de terre partait de la régionale et
montait en zigzags jusqu'à la tour ; là, il s'adoucissait,
tournait à flanc de montagne et entrait dans le vallon
à mi-hauteur, terminant en faux plat. Nous l'empruntâmes au mois de juillet, l'année 1984. Dans les prés
ils faisaient les foins. Le vallon était plus vaste qu'il
n'y paraissait vu d'en bas, tout n'était que bois côté
ombre et cultures en terrasses au soleil : en contrebas
coulait un torrent dont j'entrevoyais parfois les étin-
celles, entre maquis d'arbustes, et ce fut la première
chose de Grana à me plaire. À cet âge-là, je lisais des
romans d'aventures. C'était à Mark Twain que je
devais mon amour pour les fleuves. Je me voyais déjà
pêcher, piquer une tête, nager, abattre des arbustes

pour construire un radeau, et emporté dans ma rêverie je ne vis pas le village apparaître derrière un tournant.

« C'est là, dit ma mère, ralentis. »

Mon père se mit à rouler au pas. Depuis que nous avions pris la route, il suivait docilement ses instructions. Il pencha la tête à droite et à gauche, au milieu de la poussière que la voiture soulevait, attardant ses yeux sur les étables, les poulaillers, les troncs des fenils, les cabanes brûlées ou effondrées, les tracteurs en bordure de route, les botteleuses. Deux chiens noirs avec une clochette attachée au collier déboulèrent d'une cour. Mis à part quelques maisons plus récentes, tout le village semblait fait de la même pierre grise que la montagne, et posé dessus comme un affleurement de roche, un éboulis ancien ; un peu plus haut les chèvres paissaient.

Mon père ne dit rien. Ma mère, qui avait déjà visité les lieux par elle-même, le fit se garer sur un terre-plein et descendit de voiture, allant tout droit trouver la propriétaire pendant que nous déchargions. Un des chiens vint à notre rencontre en aboyant, et mon père eut un geste que je ne l'avais jamais vu faire : il tendit la main pour le laisser renifler son odeur, lui dit un mot gentil et lui fit une caresse entre les oreilles. Il s'en sortait peut-être mieux avec les chiens qu'avec les hommes.

« Alors ? me demanda-t-il, en défaisant les tendeurs de la galerie. Qu'est-ce que t'en dis ? »

Magnifique, aurais-je voulu lui répondre. Une odeur de foin, d'étable, de bois, de fumée et de je ne sais quoi encore m'avait saisi dès que nous étions sortis de la voiture, chargée de promesses. Mais je n'étais pas sûr que ce soit la réponse qu'il voulait entendre et préférai dire : « Ça a l'air plutôt pas mal, non ? »

Mon père haussa les épaules. Leva les yeux par-dessus les valises et jeta un coup d'œil à la baraque devant nous. Elle penchait d'un côté, et elle se serait déjà écroulée s'il n'y avait pas eu deux pieux pour la retenir. À l'intérieur il y avait des bottes de foin empilées, et une chemise en jean que quelqu'un avait enlevée et laissée là.

« C'est dans une maison comme ça que j'ai grandi », dit-il sans préciser si c'était une bonne ou une mauvaise chose.

Il saisit la poignée d'une valise et allait pour la tirer quand quelque chose lui traversa l'esprit. Il se tourna vers moi avec une idée derrière la tête qui avait l'air de l'amuser drôlement.

« À ton avis, le passé, il peut passer une deuxième fois ?

— C'est difficile à dire », dis-je, sans me prononcer. Il me posait toujours des colles comme ça. Il reconnaissait en moi une intelligence semblable à la sienne, portée sur la logique et les mathématiques, et s'imaginait qu'il était de son devoir de la mettre à l'épreuve.

« Tu le vois le torrent ? dit-il. Mettons que l'eau, c'est le temps qui coule : si l'endroit où nous sommes, c'est le présent, tu dirais qu'il est où l'avenir ? »

Je réfléchis. Cette question-là me paraissait déjà plus facile. Je répondis ce qui me paraissait le plus évident : « L'avenir est du côté où l'eau descend, en contrebas.

— Faux, décréta mon père, et heureusement ! » Puis, comme s'il s'était débarrassé d'un poids, il dit « Hop là », les mots qu'il utilisait quand il me soulevait moi aussi, et la première valise alla s'écraser par terre en faisant un bruit sourd.

La maison que ma mère avait louée se trouvait sur les hauteurs du village, dans une cour ramassée autour d'un abreuvoir. Elle portait les signes de deux origines différentes : la première était celle des murs, des balcons en bois de mélèze séché, du toit aux laves recouvertes de mousse, de la grande cheminée noire de fumée, et c'était une origine ancienne ; la deuxième était simplement vieille. Une époque où, dans les maisons, on avait posé du lino par terre, collé des tapisseries à fleurs, installé des placards aux murs et un évier dans la cuisine, tous déjà moisis et ternes. Seul un objet échappait à la médiocrité, et c'était un poêle noir, en fonte, imposant et austère, avec une poignée en cuivre et quatre feux pour cuisiner. On devait l'avoir récupéré d'un autre endroit, d'un autre temps encore. Mais ce qui devait surtout plaire à ma mère, c'était précisément tout ce qu'il n'y avait pas, car la maison qu'elle nous avait trouvée n'était rien moins qu'une maison vide. Quand elle demanda à la propriétaire si nous pouvions faire de petits travaux, celle-ci répondit simplement : « Faites donc comme vous voulez. » Elle ne la louait plus depuis des années et ne s'était certainement pas imaginé la louer cet été. Elle avait des façons brusques mais n'était pas impolie pour autant. Je crois qu'elle était gênée, parce qu'elle était occupée aux champs et n'avait pas eu le temps de changer de tenue. Elle remit à ma mère une grosse clé en fer, finit de lui expliquer quelque chose pour l'eau chaude, protesta brièvement avant d'accepter l'enveloppe que ma mère lui avait préparée.

Mon père s'était déjà éclipsé depuis un bail. Pour lui, une maison en valait une autre et, le lendemain, on l'attendait au bureau. Il était sorti fumer sur le balcon, les mains posées sur le bois rugueux de la rambarde, les yeux sur les sommets. On aurait dit qu'il les étudiait pour savoir où donner l'assaut. Il rentra quand la propriétaire fut partie, échappant ainsi aux salutations, dans une humeur noire qui lui était tombée dessus ; il parla d'aller faire les courses pour midi et dit vouloir reprendre la route avant la nuit.

Dans cette maison, quand il nous eut laissés, ma mère retourna à une version d'elle que je n'avais jamais connue. Le matin, sitôt levée, elle remplissait le poêle de petit bois, roulait en boule une feuille de journal et grattait une allumette sur le rêche de la fonte. Rien ne la dérangeait, ni la fumée qui se répandait alors dans la cuisine, ni la couverture que nous gardions sur le dos en attendant que la pièce se réchauffe, ni le lait qui débordait de la casserole et brunissait sur la plaque brûlante. Au déjeuner, elle me donnait du pain grillé avec de la confiture. Elle me lavait au robinet, en me passant un filet d'eau sur la figure, le cou et les oreilles, puis m'essuyait avec un torchon et m'expédiait dehors : que je prenne le vent et le soleil, et perde enfin un peu de ma délicatesse citadine.

Ces jours-là, le torrent devint mon terrain d'exploration. Il y avait deux frontières que j'avais interdiction de franchir : en haut, un petit pont de bois derrière lequel les rives s'escarpaient et se resserraient en formant une gorge, et en bas les buissons au pied de la falaise, là où l'eau continuait jusqu'au fond de la vallée. Ça avait beau être le périmètre que ma mère pouvait surveiller du balcon, il valait tout un fleuve. Le torrent descendait d'abord par paliers, tombant en une série de cascades mousseuses, entre de grands blocs du haut desquels je me penchais pour observer les reflets argentés du fond. Plus loin, il ralentissait et partait en plusieurs directions, comme si l'enfant qu'il était devenait adulte, et circonscrivait des îlots colonisés de bouleaux sur lesquels je pouvais sauter pour atteindre l'autre côté. Après encore, un entrelacs de branches formait un barrage. Un couloir rocheux commençait, et c'était l'avalanche de poudreuse, l'hiver, qui avait arraché les troncs et les branches qui pourrissaient dans l'eau, mais je ne savais encore rien de tout ça. Je le voyais comme le moment dans la vie du torrent où il trouvait un obstacle, s'arrêtait et se troublait. Je finissais toujours par m'asseoir devant, à regarder les algues onduler à quelques millimètres de la surface.

Dans les prés le long du torrent, un petit garçon gardait des vaches. À en croire ma mère, c'était le neveu de la propriétaire. Il ne se séparait jamais de son bâton jaune, en plastique, à la poignée recourbée, qui lui servait à éperonner les bêtes pour leur faire gagner l'herbe haute. C'étaient sept petites vaches brunes et nerveuses. L'enfant les grondait quand elles n'en faisaient qu'à leur tête, et il lui arrivait parfois de courir après l'une ou l'autre en pestant, mais pour les rentrer, il n'avait qu'à remonter la pente et les appeler en faisant *Oh, oh, oh*, ou bien *Hé, hé, hé*, pour qu'elles le suivent à reculons à l'étable. Au pré, il s'asseyait par terre plus en amont et les surveillait, en taillant un bout de bois avec son canif.

« T'as rien à faire là, me dit-il, la seule fois où il m'adressa la parole.

— Pourquoi ? demandai-je.

— Tu gâches l'herbe.

— Et où je peux me mettre, alors ?

— Là-bas. »

Il indiqua la rive opposée du torrent. Je n'avais aucune idée de comment y arriver de là où j'étais, mais ça n'était pas à lui que je l'aurais demandé et je n'avais pas du tout envie de négocier un droit de passage sur son herbe. J'entrai donc dans l'eau avec mes chaussures. Je tâchai de ne pas fléchir devant le courant et de ne montrer aucune hésitation, comme si passer des fleuves à gué était mon lot quotidien.

Je traversai, m'assis sur un bloc avec mon pantalon trempé et mes chaussures dégoulinantes, mais quand je tournai la tête, l'enfant ne se souciait déjà plus de moi.

Plusieurs jours s'écoulèrent ainsi, chacun de son côté du torrent, sans qu'aucun des deux daigne regarder l'autre sur sa rive.

« Pourquoi tu ne t'en ferais pas un ami ? » me demanda ma mère un soir devant le poêle. La maison était imprégnée de l'humidité de trop d'hivers, aussi allumions-nous le feu pour le dîner puis restions au chaud devant jusqu'à ce qu'il soit l'heure d'aller au lit. Chacun lisait son livre et parfois, entre deux pages, ravivait la flamme et la conversation. Le grand poêle noir nous écoutait.

« Mais comment je fais, répondis-je, je ne sais pas quoi dire.

— Tu lui dis bonjour. Tu lui demandes comment il s'appelle. Comment s'appellent ses vaches.

— Bien sûr… » dis-je, en faisant semblant d'être pris dans ma lecture.

Pour ce qui est des rapports sociaux, ma mère avait déjà une bonne longueur d'avance sur moi. Comme il n'y avait pas de commerces au village, pendant que j'explorais le torrent, elle avait déniché l'étable où acheter le lait et le fromage, le jardin qui vendait quelques variétés de légumes et la scierie où s'approvisionner en bois de chauffage. Elle était allée jusqu'à se mettre d'accord avec le garçon de la fromagerie qui passait matin et soir en fourgon récupérer les bidons de lait pour qu'il lui monte du pain et quelques courses. Et sans que je sache comment, au bout d'une semaine, elle avait trouvé moyen de mettre des balconnières et de les remplir de géraniums. On la reconnaissait maintenant de loin notre maison, et j'avais déjà entendu les rares habitants de Grana la saluer par son prénom.

« De toute façon, c'est pas grave, dis-je, une minute après.

— Qu'est-ce qui n'est pas grave ?

— Si on n'est pas amis. Je suis bien tout seul.

— Ah oui ? » dit ma mère. Elle leva les yeux de son livre et, sans sourire, comme s'il s'agissait d'une question très sérieuse, ajouta : « Tu penses vraiment ce que tu dis ? »

Et c'est ainsi qu'elle décida de me donner un coup de main. Tout le monde n'est pas de cet avis, mais ma mère croyait dur comme fer qu'il fallait intervenir dans la vie des autres. Quelques jours plus tard, dans cette même cuisine, je trouvai l'enfant en train de prendre son petit déjeuner assis sur ma chaise. Je le sentis avant de le voir, à dire vrai, parce qu'il dégageait cette même odeur d'étable, de foin, de lait caillé, de terre humide et de feu de bois qui, depuis, est restée pour moi l'odeur de la montagne, celle que j'ai retrouvée dans toutes les montagnes du monde. Il s'appelait Bruno Guglielmina. Tout le monde avait ce nom de famille, à Grana, tint-il à m'expliquer, mais le prénom Bruno, il n'y avait que lui qui le portait. Il était né en 1972, mais en novembre, ce qui lui faisait quelques mois de plus que moi. Il avalait goulûment les biscuits que ma mère avait mis sur la table comme s'il n'en avait jamais mangé de sa vie. Et dernière découverte : pendant que nous faisions comme si l'autre n'existait pas, je l'avais espionné au pré, et lui m'avait espionné moi.

« T'aimes bien le torrent, pas vrai ? me demanda-t-il.

— Oui.

— Tu sais nager ?

— Un peu…

— Et pêcher ?

— Je crois pas.

— Viens, j'ai un truc à te montrer. »

Il dit ces mots et sauta de sa chaise, j'échangeai un regard avec ma mère puis courus derrière lui sans demander mon reste.

Bruno m'amena dans un endroit que je connaissais, là où le torrent passait sous l'ombre du petit pont. À voix basse, quand nous fûmes arrivés au bord de l'eau, il m'ordonna de faire le moins de bruit possible et de rester caché. Il fit dépasser sa tête du rocher de quelques centimètres, juste ce qu'il fallait pour voir ce qui se tramait de l'autre côté. De la main, il me fit signe d'attendre. Et moi, qui attendais, je le regardai : il avait les cheveux blond cendré et le cou légèrement tanné par le soleil. Il portait un pantalon trop grand pour lui, avec des ourlets autour des chevilles et l'entrejambe qui flottait – une caricature d'homme adulte. Il avait aussi les manières d'un adulte, une certaine gravité dans la voix et dans les gestes : il me fit signe de le rejoindre et je m'exécutai. Je me penchai pour regarder là où il regardait. Je ne savais pas ce qu'il voulait me montrer : derrière le rocher, le torrent formait une petite cascade et une mare ombragée qui devait peut-être arriver jusqu'au genou. La surface tremblait, dérangée par les trombes d'eau. Sur les bords flottait un doigt d'écume et une grosse branche en travers s'était attirée touffes d'herbe et feuilles trempées. Il n'avait rien d'extraordinaire, ce spectacle, ce n'était que de l'eau qui dévalait la montagne, mais il m'émerveillait chaque fois sans que je sache pourquoi.

Après avoir scruté un moment la mare je vis la surface se fendre légèrement, et je compris alors que quelque chose de vivant se cachait là-dessous. Une, deux, trois, quatre ombres fuselées à contre-courant, seule leur queue oscillait lentement de gauche à droite. Parfois, une des ombres sursautait et allait se poster ailleurs, ou laissait son dos affleurer à la surface avant de redescendre, mais toutes gardaient les yeux rivés sur la cascade. Nous étions en aval, raison pour laquelle elles ne nous avaient pas encore vus.

« C'est quoi ? Des truites ? murmurai-je.

— Des poissons, répondit Bruno.

— Et ils restent tout le temps ici ?

— Non, pas tout le temps. Des fois ils changent de trou.

— Mais qu'est-ce qu'ils font ?

— Ils chassent », répondit Bruno, comme si c'était l'évidence même. Je n'avais pourtant jamais rien vu de la sorte. J'avais toujours imaginé que les poissons nageaient dans le sens du courant, ce qui me paraissait plus simple, au lieu de gaspiller leurs forces à lui résister. Les truites agitaient leur queue juste ce qu'il fallait pour faire du sur-place. J'aurais bien aimé savoir ce qu'elles chassaient. Peut-être les moucherons que je voyais planer au-dessus du fil de l'eau jusqu'à s'y retrouver comme piégés. J'observai un moment la scène dans l'espoir de mieux la comprendre, mais c'était sans compter sur Bruno qui, soudain, s'impatienta : il sauta sur ses deux pieds et agita les bras, faisant disparaître les truites en un éclair. J'allai voir. Elles étaient parties dans toutes les directions. Je regardai l'eau et ne vis plus que les cailloux blancs et bleus du fond, et je dus abandonner pour suivre Bruno qui escaladait à toutes jambes la berge opposée.

Un peu plus haut, une bâtisse solitaire se dressait au bord de l'eau, comme la maison d'un gardien. Elle tombait en ruine au milieu des orties, des mûriers, des nids de guêpes qui séchaient au soleil. Il y en avait beaucoup, au village, des ruines comme celles-là. Bruno posa les mains sur les murs de pierre, à l'endroit où ils se rejoignaient en formant un coin tout en fissures, s'y hissa, et ni une ni deux se retrouva à la fenêtre du premier étage.

« Allez, viens ! » dit-il, en se penchant vers moi. Mais il ne pensa pas à m'attendre pour autant, peut-être parce qu'il se disait que la montée n'avait rien de compliqué, ou parce qu'il n'imaginait pas que je puisse avoir besoin d'aide, ou alors c'était simplement sa façon de faire : compliqué ou pas, on se débrouille tout seul. Je l'imitai du mieux que je pouvais. Je sentis la pierre rugueuse, tiède, sèche sous mes doigts. Je m'écorchai les bras au rebord de la petite fenêtre, regardai à l'intérieur et vis Bruno disparaître par une trappe du grenier, sur une échelle qui descendait au rez-de-chaussée. Je crois que j'étais déjà prêt à le suivre n'importe où.

En bas, dans la pénombre, il y avait une pièce divisée par des murets en quatre niches de mêmes dimensions, comme des cuves. Dans l'air, une odeur de champignon et de bois vermoulu stagnait. Quand mes yeux se furent habitués à l'obscurité, je vis que le sol était jonché de canettes, de tessons de bouteille, de vieux journaux, de chemises en charpie, de chaussures défoncées, de restes d'outils rouillés. Bruno s'affairait autour d'une grosse pierre polie blanche, en forme de roue, qui était posée dans un coin.

« C'est quoi ? demandai-je.

— La meule, dit-il, avant de préciser : la pierre du moulin. »

Je me penchai à côté de lui pour regarder. Je savais ce qu'était une meule mais n'en avais encore jamais vu une. Je tendis la main. Cette autre pierre était froide, visqueuse, et dans le trou qu'elle avait au milieu s'était accumulée de la mousse qui laissait comme une boue verte sur les doigts. Je sentis les bras me brûler à cause des égratignures que je m'étais faites.

« Il faut la mettre debout, dit Bruno.

— Pour quoi faire ?

— Pour la faire rouler.

— Où ça ?

— Comment ça, où ça ? En bas, non ? »

Je secouai la tête sans comprendre. Bruno m'expliqua patiemment : « On la met debout. On la pousse jusqu'à la porte. Et puis on la balance dans le torrent. Comme ça les poissons valsent et on les mange. »

L'idée me parut tout de suite aussi grandiose qu'irréalisable. Ce mastodonte pesait bien trop lourd pour nous deux. Mais c'était si beau de l'imaginer dévaler la pente, et si beau de nous imaginer nous-mêmes capables d'un tel exploit, que je décidai de garder mes objections pour moi. Quelqu'un avait déjà dû essayer : sous la meule, entre la pierre et le sol, étaient fichés deux coins de bûcheron. On les avait enfoncés juste ce qu'il fallait pour soulever la pierre. Bruno ramassa un bâton solide, le manche d'une pioche ou d'une pelle, et commença à le marteler avec une pierre pour le faire entrer dans la fissure, comme s'il s'agissait d'un clou. Quand la pointe se retrouva coincée, il glissa sa pierre sous le manche et la cala avec le pied.

« Il faut que tu m'aides, là, dit-il.

— Qu'est-ce que je dois faire ? »

Je me postai à côté de lui. Nous devions tirer tous les deux vers le bas, en faisant contrepoids avec nos corps pour soulever la meule. Nous nous suspendîmes au manche, et quand mes pieds décollèrent du sol je sentis un instant la pierre vaciller. Le système qu'avait imaginé Bruno était le bon, et avec un meilleur levier, peut-être aurait-il fonctionné, mais le vieux bout de bois plia sous notre poids, grinça et céda d'un coup, nous faisant voler par terre. Bruno se blessa la main. Il jura, en la secouant dans tous les sens.

« Tu t'es fait mal ? demandai-je.

— Sale caillou de merde, dit-il en suçant sa blessure. Tu perds rien pour attendre. » Il monta à l'échelle et disparut à l'étage dans un élan de colère, puis je l'entendis sauter par la fenêtre et partir en courant.

La nuit venue, dans mon lit, j'eus du mal à trouver le sommeil. J'étais bien trop excité pour fermer l'œil : je venais d'une enfance solitaire, et n'avais pas l'habitude de faire les choses à deux. Je croyais, sur ce point aussi, être pareil à mon père. Mais ce jour-là j'avais ressenti quelque chose, un sentiment soudain d'intimité, lequel m'attirait et me faisait peur en même temps, comme un territoire inconnu qui s'ouvrait devant moi. Pour me calmer, je cherchai une image dans ma tête. Je pensai au torrent : à la mare, à la petite cascade, aux truites qui frétillaient de la queue pour ne pas bouger d'un centimètre, aux feuilles et aux rameaux qui flottaient. Puis aux truites qui se jetaient sur leur proie. Je commençai alors à comprendre que tout, pour un poisson d'eau douce, vient de l'amont : insectes, branches, feuilles, n'importe quoi. C'est ce qui le pousse à regarder vers le haut : il attend de voir ce qui doit arriver. Si l'endroit où tu te baignes dans un fleuve correspond au présent, pensai-je, dans ce cas l'eau qui t'a dépassé, qui continue plus bas et va là où il n'y a plus rien pour toi, c'est le passé. L'avenir, c'est l'eau qui vient d'en haut, avec son lot de dangers et de découvertes. Le passé est en aval, l'avenir en amont. Voilà ce que j'aurais dû répondre à mon père. Quel que soit notre destin, il habite les montagnes au-dessus de nos têtes.

Lentement, ces pensées s'évanouirent à leur tour, et je restai à écouter. Je m'étais habitué aux bruits de la nuit, et pouvais désormais les reconnaître un à un. Ça, pensai-je, c'est la fontaine de l'abreuvoir. Ça, c'est la clochette d'un chien qui s'en va faire un tour dans la nuit. Ça, c'est le bourdonnement électrique du seul et unique lampadaire de Grana. Je me demandai si Bruno aussi, dans son lit, écoutait ces bruits. Ma mère tourna une page dans la cuisine pendant que, bercé par le crépitement du poêle, je me laissais enfin gagner par le sommeil.

Le reste de juillet, il ne se passa pas un jour sans que nous nous voyions. Soit j'allais le trouver au pré, soit Bruno tirait un fil autour de son troupeau, le branchait à la batterie d'une voiture et débarquait dans notre cuisine. Plus que les biscuits, je crois qu'il aimait bien ma mère. Il aimait l'attention qu'elle lui accordait. Elle l'interrogeait ouvertement, sans y aller par quatre chemins, comme elle avait l'habitude de le faire pour son travail, et il lui répondait, pas peu fier que son histoire puisse intéresser une dame de la ville aussi gentille. Il nous raconta qu'il était le plus jeune habitant de Grana, et même le dernier enfant du village puisqu'il n'était pas prévu qu'il en arrive d'autres. Son père était en déplacement une bonne partie de l'année, ses apparitions étaient rares, toujours en hiver, et aux premiers signes du printemps il repartait pour la France ou la Suisse ou n'importe quel autre pays où un chantier avait besoin de main-d'œuvre. Sa mère, pour compenser, était toujours restée là : dans les champs au-dessus de sa maison elle avait un potager, un poulailler, deux chèvres, les ruches des abeilles – elle n'avait d'yeux que pour ce petit royaume. Quand il me la décrivit, je vis aussitôt de qui il parlait. Une femme que j'avais déjà vue, derrière une brouette ou avec une pioche et un râteau, et qui passait devant moi, tête baissée, sans même remarquer ma présence. Bruno habitait avec sa mère chez un oncle, le mari de notre propriétaire, qui avait quelques pâturages et des vaches laitières. En cette période, il était en montagne avec ses fils plus âgés : Bruno leva le menton en direction de la fenêtre, de laquelle je ne voyais encore que des arbres et de la caillasse, et ajouta qu'il devrait les rejoindre en août, avec les vaches plus jeunes qu'ils lui avaient laissées.

« En montagne ? demandai-je.

— À l'alpage, quoi. Tu sais ce que c'est un alpage ? » Je secouai la tête.

« Et ton oncle et ta tante, ils te traitent bien ? le coupa ma mère.

— Oh oui, dit Bruno. C'est pas le travail qui manque.

— Mais tu vas quand même à l'école ?

— Oui, oui.

— Et ça te plaît ? »

Bruno haussa les épaules. Il ne voulait pas sortir, ce oui, même pour lui faire plaisir.

« Et ta maman et ton papa, ils s'aiment ? »

À cette question, il détourna le regard. Pinça les lèvres en une grimace qui pouvait vouloir dire non, ou peut-être un peu, ou peut-être que la question ne se posait pas. La réponse suffit à ma mère, qui se garda bien d'insister, mais je savais que quelque chose, dans cette discussion, ne lui avait pas plu. Elle ne baisserait pas les bras tant qu'elle n'aurait pas su quoi.

Quand Bruno et moi sortions, nous ne parlions pas de nos familles. Nous partions faire un tour dans le village, sans jamais trop nous éloigner du pré où étaient ses vaches. Pour l'aventure, nous explorions les maisons abandonnées. À Grana, nous avions l'embarras du choix : de vieilles étables, de vieux fenils et greniers, un vieux magasin aux étagères poussiéreuses et vides, un vieux four à pain noirci par la fumée. Partout les mêmes déchets que j'avais vus dans le moulin comme si, quand ces lieux avaient perdu leur utilité, quelqu'un les avait occupés de la plus vile façon avant de les abandonner à nouveau. Dans certaines cuisines, nous trouvions encore la table et le banc, deux trois assiettes ou des verres dans le buffet, la poêle suspendue au-dessus de la cheminée. En 1984, quatorze habitants vivaient à Grana, mais dans le temps ils pouvaient avoir été une centaine.

Un édifice dominait le centre du village, plus moderne et imposant que toutes les maisons qui l'entouraient : il avait trois étages crépis de blanc, un escalier extérieur, une cour, un mur d'enceinte à moitié effondré. Nous entrâmes par là et traversâmes la cour envahie de broussailles. Au rez-de-chaussée, la porte avait simplement été poussée, et quand Bruno l'ouvrit nous nous retrouvâmes dans un hall sombre, avec des bancs et des portemanteaux en bois. Je compris aussitôt où nous étions, à croire que les écoles se ressemblent toutes : mais dans celle de Grana on n'élevait plus désormais que de gros lapins au poil gris, lesquels nous espionnaient, apeurés, depuis leur rangée de clapiers. La pièce avait une odeur de paille, de fourrage, d'urine, de vin qui tournait au vinaigre. Sur une estrade, là où autrefois avait dû se tenir le maître, quelques dames-jeannes vides avaient été jetées, mais nul n'avait osé décrocher le crucifix au mur, ou faire du bois de chauffage avec les pupitres empilés au fond.

Ce furent eux qui m'intriguèrent, plus que les lapins. J'allai les voir de plus près : c'étaient des pupitres longs et étroits, chacun avec quatre trous pour les encriers, le bois poli par toutes les mains qui s'étaient posées dessus. Sur le bord intérieur, ces mêmes mains avaient gravé des lettres, au couteau, à moins que ce soit à la pointe d'un clou. Des initiales. Le G de Guglielmina revenait souvent.

« Tu sais qui c'est ?

— Certains, oui, dit Bruno. Il y en a d'autres que je ne connais pas mais dont on m'a parlé.

— Ça date de quand ?

— Aucune idée. Elle a toujours été fermée, cette école. »

Je m'apprêtais à poser d'autres questions quand nous entendîmes la tante de Bruno qui l'appelait. Nos aventures se terminaient toujours ainsi : par ce rappel péremptoire, crié une, deux, trois fois, et qui arrivait jusqu'à nous où que nous soyons. Bruno soupira. Puis me salua et partit en courant. Il laissait tout en plan, un jeu, une phrase, et je savais que je ne le verrais plus de la journée.

Je m'attardai un moment dans la vieille école : je contrôlai les pupitres un à un, déchiffrai toutes les initiales et tentai d'imaginer les noms de ces enfants. Je finis par trouver une incision plus soignée et récente. La marque laissée par le couteau tranchait avec le bois grisé, faisant une entaille fraîche. Je promenai un doigt sur le G et le B, et l'identité de leur auteur ne faisait aucun doute. Je fis alors le lien avec d'autres choses, des choses que j'avais vues dans les ruines où Bruno m'emmenait mais que je n'avais pas comprises, et commençai ainsi à entrevoir quelle était la vie secrète de ce village fantôme.

En attendant, le mois de juillet filait. L'herbe fau-
chée à notre arrivée avait repoussé de plus belle, et
le long du chemin muletier passaient les troupeaux
en route pour les alpages plus hauts. Je les observais
disparaître en montant le vallon, s'enfoncer dans
le bois dans un vacarme de sabots et de sonnailles,
et réapparaître plus loin, après la ligne des arbres,
comme un bataillon d'oiseaux se posant sur le flanc
de la montagne. Deux soirs par semaine, ma mère et
moi faisions le chemin inverse pour nous rendre dans
un autre village plus au fond de la vallée qui n'était
du reste qu'à une poignée de maisons. Il nous fallait
une demi-heure pour y descendre à pied, et la fin
du sentier nous faisait l'effet d'un retour brutal à la
modernité. Les lumières d'un bar illuminaient le pont
au-dessus du fleuve, un va-et-vient d'automobiles
parcourait la route régionale et la musique se mêlait
aux voix des vacanciers assis dehors. Il faisait plus
chaud, là-bas, et l'été y était aussi joyeux et pares-
seux que les étés à la mer. Une bande d'adolescents
se retrouvait aux tables des terrasses, ils fumaient,
riaient, des amis passaient parfois les prendre et tous
partaient alors en voiture pour les bars plus en altitude. Ma mère et moi faisions la queue pour téléphoner. Nous attendions notre tour, puis entrions
tous les deux dans la cabine téléphonique repue de
conversations. Mes parents faisaient vite : même à
la maison, ils ne perdaient jamais trop de temps en
bavardages, et à les écouter on aurait dit deux vieux
copains qui n'avaient pas besoin de terminer leurs

phrases. Quand elle me le passait, mon père parlait plus longtemps.

« Eh, le montagnard ! disait-il. Comment ça va ? T'as escaladé de beaux sommets ?

— Pas encore. Mais je m'entraîne.

— C'est bien. Et ton ami, comment il va ?

— Il va bien. Mais bientôt, il montera à l'alpage, et je ne le verrai plus. Il faut une heure de marche pour y arriver.

— Une heure, c'est pas beaucoup. On montera le voir ensemble, d'accord ?

— J'aimerais bien. Tu viens quand ?

— En août », disait mon père. Et avant de me dire au revoir, il ajoutait : « Fais un bisou à maman. Tu prends bien soin d'elle, hein ? Faudrait pas qu'elle se sente seule. »

Il avait ma parole, mais au fond de moi je pensais que c'était lui qui devait se sentir seul. Je l'imaginais dans notre appartement milanais, tout vide avec les fenêtres grandes ouvertes et le vacarme des camions. Ma mère se portait à merveille. Nous rentrions à Grana par le même sentier à travers bois sur lequel, entre-temps, la nuit était tombée. Elle allumait une lampe torche et la braquait sur ses pieds. Le noir ne lui faisait pas peur. Elle était si calme qu'elle me rassurait moi aussi : je marchais en suivant ses chaussures dans cette lumière vacillante puis finissais par l'entendre fredonner doucement comme pour elle seule. Si je connaissais la chanson, je l'imitais à voix basse moi aussi. Les bruits de la route, les transistors, les rires des adolescents disparaissaient derrière nous. L'air fraîchissait à mesure que nous prenions de la hauteur. Je savais que nous allions arriver peu avant d'entrevoir la lumière des fenêtres, quand le vent m'apportait l'odeur des cheminées.

II

Je me demande bien quels changements mon père avait vus chez moi pour qu'il décide cette année-là que le moment était venu de m'emmener avec lui. Il monta de Milan un samedi, faisant irruption dans nos habitudes avec son Alfa déglinguée, déterminé à ne pas perdre une seule minute de ses courtes vacances. Il avait acheté une carte qu'il épingla au mur, et un feutre avec lequel il comptait tracer les sentiers parcourus, comme les conquêtes des généraux. Son vieux sac à dos de l'armée, son bermuda en velours côtelé, son gros pull rouge de grimpeur des Dolomites seraient son uniforme. Ma mère préféra ne pas s'en mêler, se retirant derrière ses géraniums et ses livres. Bruno était déjà à l'alpage et je ne faisais que retourner seul dans nos coins et sentir le vide qu'il y avait laissé, aussi accueillis-je volontiers la nouvelle : je commençai à apprendre la façon qu'avait mon père d'aller en montagne – ce que j'ai reçu de lui qui se rapproche le plus d'une éducation.

Nous partions tôt le matin, montant en voiture jusqu'aux hameaux au pied du mont Rose. C'étaient des localités touristiques plus huppées que la nôtre et, encore endormi, je voyais défiler les petites villas isolées, les auberges de style alpin du début du vingtième, les horribles complexes années 1960, les files de caravanes le long du fleuve. Toute la vallée était encore plongée dans l'ombre et humide de rosée. Mon père prenait un café dans le premier bar ouvert, puis hissait son sac sur l'épaule avec la solennité d'un chasseur alpin : le parcours démarrait derrière une église, ou après un petit pont de bois, entrait dans la forêt et se mettait aussitôt à monter. Avant de m'y engouffrer, je levais une dernière fois les yeux au ciel. Au-dessus de nos têtes resplendissaient les glaciers déjà illuminés par le soleil ; le froid du matin sur mes jambes nues me donnait la chair de poule.

Sur le sentier mon père me laissait marcher devant. Il me suivait un pas en arrière, histoire que je puisse entendre un mot de lui, si nécessaire, et son souffle dans mon dos. Le peu de règles que j'avais à suivre était clair : un, on prend un rythme et on le tient sans s'arrêter ; deux, on ne parle pas ; trois, aux croisements, on choisit toujours la route qui monte. Il s'époumonait et s'essoufflait bien plus que moi, à cause de la cigarette et de la vie de bureau qu'il menait, mais pendant une heure au moins il ne voulait pas entendre parler de pause, ni pour boire, ni pour observer quoi que ce soit. La forêt n'avait aucune grâce à ses yeux. C'était ma mère qui, dans nos promenades autour de Grana, me montrait les plantes et les arbres et m'apprenait leurs noms, comme s'il s'agissait de personnes qui avaient chacune leur caractère, mais pour mon père la forêt n'était rien d'autre qu'un passage obligé avant la haute montagne : nous la remontions tête baissée, concentrés sur le rythme de nos jambes, de nos poumons, de notre cœur, dans un corps-à-corps muet avec notre fatigue. Nous piétinions des cailloux que le passage séculaire des bêtes et des hommes avait polis. Il nous arrivait parfois de passer devant une croix en bois, ou une plaque en bronze avec un nom, ou une petite chapelle avec une madone et quelques fleurs, lesquelles donnaient à ces coins de forêt la gravité d'un cimetière. Alors le silence entre nous prenait un autre sens, apparaissant comme la seule façon respectueuse de passer.

Nous ne levions les yeux qu'une fois franchie la ligne des arbres. Sur l'épaule glaciaire, le sentier s'adoucissait, et en débouchant au soleil nous croisions les derniers villages d'altitude. C'étaient des endroits abandonnés ou presque, pires que Grana, mis à part une étable à l'écart, une fontaine qui fonctionnait encore, une chapelle bien tenue. Autour des maisons le sol avait été aplani et les pierres rassemblées en tas, de petits canaux avaient été creusés pour irriguer et fertiliser les terres, et les rives avaient été terrassées et transformées en prés et jardins : mon père me montrait ces travaux et me parlait des anciens montagnards avec admiration. Ceux qui étaient venus du nord des Alpes au Moyen Âge et avaient été capables de cultiver la terre à des altitudes qu'eux seuls pouvaient atteindre. Ils possédaient des techniques qui leur étaient propres, et une résistance particulière au froid et aux privations. Personne aujourd'hui, me disait-il, ne pourrait passer l'hiver là-haut, en totale autonomie pour ce qui est de la nourriture et des outils, comme eux l'avaient fait pendant des siècles.

J'observais ce qui restait des maisons et tentais d'en imaginer les habitants. Je ne parvenais pas à comprendre qu'on puisse choisir une vie aussi rude. Quand j'interrogeai mon père, il me répondit comme à son habitude, par une énigme : comme s'il ne pouvait jamais me donner la solution mais seulement quelques indices, et qu'il n'appartenait qu'à moi d'arriver à la vérité.

Il me dit : « Il faut pas croire qu'ils avaient le choix. Si quelqu'un va s'installer là-haut, c'est qu'en bas on ne le laisse pas en paix.

— Qui ça, on ?

— Les patrons. L'armée. Les curés. Les petits chefs. Ça dépend. »

Le ton de sa réponse n'était pas tout à fait sérieux. Il se rafraîchissait la nuque à la fontaine, déjà de meilleure humeur que lorsque nous étions partis. Il secouait la tête hors de l'eau, tirait sur sa barbe et levait les yeux. Dans les vallons qui nous attendaient il n'y avait pas d'obstacles en vue, si bien qu'il finissait tôt ou tard par débusquer quelqu'un plus avancé que nous sur le sentier. Il avait un œil perçant, de chasseur, pour dénicher les petites taches rouges ou jaunes, la couleur d'un sac à dos ou d'un imperméable. Plus elles étaient haut, plus il y avait du défi dans le ton de sa voix lorsqu'il demandait, en me les montrant du doigt : « Qu'est-ce que t'en dis, Pietro, on les rattrape ?

— Bien sûr », répondais-je, quelle que soit la hauteur où elles se trouvaient.

Notre ascension se transformait alors en course-poursuite. Nous avions les muscles bien échauffés et encore toute notre énergie. Nous remontions les prés d'août, traversant alpages reculés, troupeaux de vaches impassibles, chiens qui grognaient sur nos talons, étendues d'orties qui brûlaient mes jambes nues.

« Coupe ! disait mon père, quand le sentier traçait des lignes trop douces à son goût. Tout droit. Monte de ce côté. »

La montée reprenait de plus belle, et c'était là, sur ces impitoyables pentes terminales, que nous cueillions nos victimes : en règle générale deux ou trois hommes de l'âge de mon père et habillés comme lui. Ils me confortaient dans l'idée que cette manie d'aller en montagne appartenait à une époque révolue, et obéissait à des codes archaïques. Même leur façon de nous céder le pas avait quelque chose de cérémonieux : ils se rangeaient sur le côté, le long du sentier, s'arrêtaient et se laissaient dépasser. Ils nous avaient certainement vus d'en haut, avaient tenté de résister et n'étaient pas contents de se faire coiffer au poteau.

« Bonjour, disait un premier. Il court, le petit !

— C'est lui qui me tire, répondait mon père, moi je suis.

— Ah, avec les jambes qu'il a…

— Ah, ça ! On les a pourtant eues un jour.

— Peut-être, mais il y a un siècle. Vous montez jusqu'en haut ?

— Si on y arrive.

— Bonne chance, alors ! » concluait un deuxième, et fin des politesses. Nous repartions en silence comme nous étions venus. Il n'y avait pas lieu de crier victoire, mais une fois que nous avions pris suffisamment de distance, je sentais une main sur mon épaule, rien d'autre qu'une main qu'il posait sur moi et pressait, et c'est tout.

Peut-être ma mère avait-elle raison, chacun en montagne a une altitude de prédilection, un paysage qui lui ressemble et dans lequel il se sent bien. La sienne était décidément la forêt des mille cinq cents mètres, celle des sapins et des mélèzes, à l'ombre desquels poussent les buissons de myrtilles, les genévriers et les rhododendrons, et se cachent les chevreuils. Moi, j'étais plus attiré par la montagne qui venait après : prairie alpine, torrents, tourbières, herbes de haute altitude, bêtes en pâture. Plus haut encore la végétation disparaît, la neige recouvre tout jusqu'à l'été et la couleur dominante reste le gris de la roche, veiné de quartz et tissé du jaune des lichens. C'est là que commençait le monde de mon père. Au bout de trois heures de marche, prés et bois cédaient la place aux pierrailles, aux petits lacs cachés dans les combes à neige, aux couloirs creusés par les avalanches, aux ruisseaux d'eau glacée. La montagne se transformait alors en un lieu plus âpre, plus inhospitalier et pur : là-haut, mon père arrivait à être heureux. Peut-être retrouvait-il sa jeunesse, en retournant à d'autres montagnes et d'autres temps. Même son pas semblait se faire moins lourd et recouvrer une agilité perdue.

Pas comme moi, qui n'en pouvais plus. La fatigue et le manque d'oxygène me nouaient l'estomac, me donnant la nausée. Mon malaise faisait de chaque mètre une épreuve. Mon père ne pouvait s'en rendre compte : passé les trois mille, le sentier se perdait, il ne restait plus que des cairns et des traces de peinture pour s'orienter au milieu des rochers, et il prenait alors la tête de l'expédition. Il ne se tournait pas pour vérifier comment j'allais. S'il le faisait, c'était pour crier : « Regarde ! » en me montrant plus haut, sur le fil de la crête, les cornes des bouquetins qui nous sur-veillaient en gardiens de ce monde minéral. Quand je levais les yeux, le sommet me paraissait encore à des kilomètres. Il sentait la neige glacée et la pierre à fusil à plein nez.

Mon supplice prenait fin sans prévenir. Je fran-chissais un dernier saut, contournais une saillie, et me trouvais tout à coup devant un monticule de pierres, ou une croix en fer séchée par les orages, le sac à dos de mon père jeté à terre, et rien d'autre que le ciel tout autour. C'était une délivrance plus qu'une joie. Aucune récompense ne nous attendait là-haut : hormis l'impossibilité de monter davantage, le sommet n'avait vraiment rien de particulier. J'aurais de loin préféré rejoindre un torrent ou un village.

Sur les cimes des montagnes, mon père se faisait méditatif. Il ôtait sa chemise et son tricot de corps, et les mettait à sécher sur la croix. Je le voyais rarement torse nu, et ainsi découvert son corps avait quelque chose de vulnérable : avec ses avant-bras rougis, ses épaules fortes et blanches, sa petite chaîne en or dont il ne se défaisait jamais, son cou de nouveau rouge et terreux. Nous nous asseyions pour manger pain et fromage et contempler le panorama. Devant nous s'étalait tout le massif du mont Rose, si proche qu'on pouvait en distinguer les refuges, les téléphériques, les lacs artificiels, la longue procession des cordées qui descendaient de la cabane Margherita. C'était le moment où mon père sortait sa fiasque de vin et allumait sa première cigarette du matin.

« Il faut pas croire qu'on l'appelle Rose parce qu'il est rose, disait-il. Ça vient d'un mot ancien qui signifie glace. La montagne de glace. »

Puis il passait en revue les quatre mille d'est en ouest, toujours du premier au dernier, parce qu'avant d'y aller il était important de les reconnaître, et de les avoir longtemps désirés : la modeste pointe Giordani, la pyramide Vincent qui la surmonte, le Balmenhorn sur lequel se dresse le grand Christ des Sommets, la pointe Parrot au profil si arrondi que c'est à peine si on la voit, puis les nobles pointes Gnifetti, Zumstein, Dufour, trois sœurs aiguisées ; les deux Lyskamm unies par leur crête, la *mangeuse d'hommes* ; puis, la vague élégante du Castor, le farouche Pollux, la découpe de la Roche noire, les Breithorn et leur air inoffensif. Et pour finir, à l'ouest, sculptural et solitaire, le Cervin, que mon père appelait la *Gran Becca* comme s'il parlait d'une de ses arrière-tantes. Il préférait ne pas trop regarder au sud, du côté de la plaine : là-bas plombait la brume d'août et quelque part sous cette cape grise brûlait Milan.

« Ça a l'air tout petit, pas vrai ? » disait-il, et moi je ne comprenais pas. Je ne comprenais pas qu'un panorama aussi majestueux puisse lui paraître petit. Ou si c'étaient d'autres choses qui lui paraissaient petites, des choses qui lui revenaient quand il était là-haut. Mais la mélancolie ne durait qu'un temps. Sa cigarette fumée, il sortait du marasme de ses pensées, rassemblait ses affaires et disait : « On y va ? »

La descente, nous la faisions en courant comme des dératés quelle que soit la pente, à grand renfort de cris de guerre et de hululements d'Indiens, et au bout de deux heures à peine nos pieds trempaient dans la fontaine d'un village.

À Grana, l'enquête de ma mère avançait. Je la voyais souvent dans le champ où la mère de Bruno passait ses journées. Il n'y avait qu'à lever les yeux, elle était toujours là : une femme osseuse, coiffée d'un béret jaune, voûtée au-dessus de ses oignons et de ses pommes de terre. Elle n'échangeait jamais deux mots avec personne, et personne n'allait lui rendre visite jusqu'au jour où ma mère le fit : l'une dans le jardin, l'autre assise sur une souche à côté, de loin on aurait dit qu'elles bavardaient à longueur de temps.

« Alors comme ça elle parle, dit mon père, à qui nous avions décrit l'étrange femme.

— Évidemment qu'elle parle. Je n'ai encore jamais croisé de muets ici, répondit ma mère.

— Dommage », commenta mon père, mais ma mère n'était pas d'humeur à plaisanter. Elle venait d'apprendre que Bruno n'avait pas terminé son année de sixième, et elle était très remontée. On ne l'envoyait plus au collège depuis le mois d'avril. Si personne ne faisait rien, il était évident que sa scolarité se serait arrêtée là, et c'était le genre de choses qui indignait ma mère, à Milan comme dans un hameau de montagne.

« On ne peut pas toujours sauver tout le monde, dit mon père.

— On t'a bien sauvé toi, que je sache.

— Je ne dis pas le contraire, mais il a quand même fallu que je me sauve après pour leur échapper.

— En attendant, t'as étudié. Ils ne t'ont pas mis à garder les vaches quand t'avais onze ans. À onze ans, on va à l'école.

— Je dis simplement que ce n'est pas la même chose : lui, il a la chance d'avoir des parents.

— Tu parles d'une chance », conclut ma mère, et mon père se garda bien d'insister. Ils ne parlaient presque jamais de son enfance, et les rares fois où ils abordaient le sujet, il secouait la tête et coupait court à la discussion.

C'est ainsi que mon père et moi fûmes envoyés en éclaireurs pour faire alliance avec les hommes de la famille Guglielmina. L'alpage où ils habitaient était un groupe de trois baite auxquelles on arrivait après une bonne heure de marche, le long d'un sentier qui partait de Grana et remontait le vallon. Nous les voyions de loin, perchées à mi-hauteur sur le côté droit de la montagne, là où son flanc s'arrondissait avant de retomber, à la verticale, jusqu'au torrent qui traversait le village. J'avais commencé à m'y attacher, à ce petit fleuve, et j'étais heureux de le retrouver là-haut. À cette hauteur, le vallon se refermait, comme si un gigantesque éboulement l'avait bouché en amont, et se terminait en une cuvette gorgée d'eau, veinée de ruisseaux et infestée de fougères, de buissons de rhubarbe et d'orties. Lorsqu'on se retrouvait au milieu, le sentier devenait boueux. Puis on quittait ce terrain détrempé, passait au-dessus du torrent et remontait au sec et au soleil, en direction des baite. Après, il n'y avait plus que des prés bien tenus.

« Hé, dit Bruno, à la bonne heure !

— Désolé, j'ai dû rester avec mon père.

— C'est lui ton père ? Comment il est ?

— Je ne sais pas, dis-je, il est gentil. »

Je m'étais mis à parler comme lui. Nous ne nous étions pas vus depuis quinze jours et nous sentions déjà comme des amis de toujours. Mon père le salua comme si nous l'étions, et même l'oncle de Bruno tint à faire preuve d'hospitalité : il entra dans l'une des baite et en revint avec un morceau de tomme, de la *motsetta*[1] et une grande bouteille de vin, mais son visage s'accordait mal avec ces gestes de bienvenue. C'était un homme ombrageux dont les idées noires avaient creusé les traits. Il avait une barbe défaite, hirsute et presque blanche, les moustaches plus épaisses et grises, les sourcils arqués dans une éternelle méfiance, les yeux bleu ciel. La main que mon père lui tendait l'avait surpris, et le mouvement qu'il avait fait pour la serrer s'en était trouvé hésitant, contraint ; mais en débouchant le vin et en remplissant nos verres, il avait retrouvé son territoire.

Comme Bruno avait quelque chose à me montrer, nous les laissâmes boire entre eux et partîmes faire un tour. J'observai avec attention l'alpage dont il m'avait parlé en long et en large. Il avait une noblesse ancienne, qu'on devinait encore à travers les murs à sec, certaines pierres angulaires imposantes, les poutres des toits équarries à la main, et une misère récente, comme une couche de gras et de poussière qui semblait s'être déposée sur chaque chose. La baita la plus allongée faisait office d'étable, bourdonnante de mouches et repeinte de bouse jusqu'à la porte. Dans la deuxième, celle dont les vitres cassées avaient été colmatées par des chiffons et le toit rapiécé avec de la tôle ondulée, logeaient Luigi

---

1. Spécialité valdôtaine de viande maigre séchée.

Guglielmina et sa descendance. La troisième, c'était la cave : Bruno préféra m'emmener voir celle-là plutôt que la chambre où il dormait. Même à Grana il ne m'avait jamais invité chez lui.

Il me dit : « J'apprends à faire le *casaro*.

— C'est quoi ?

— C'est celui qui fait la tomme. Viens. »

La cave me surprit. Elle était fraîche et sombre, le seul endroit vraiment propre de tout l'alpage. Les épaisses étagères en mélèze étaient lavées de frais : les tommes y affinaient, dans leur croûte humide de saumure. Si brillantes, rondes, alignées, qu'elles semblaient exposées pour un concours.

« C'est toi qui les as faites ? demandai-je.

— Non, non. Pour l'instant, je les tourne juste. Elles sont belles, hein ?

— Comment ça, tu les tournes ?

— Une fois par semaine, je les tourne de l'autre côté et je leur passe du sel dessus. Après je lave et je range tout à l'intérieur.

— Elles sont belles », dis-je.

Dehors, par contre, traînaient des seaux en plastique, un tas de bois à moitié pourri, un poêle taillé dans un bidon d'essence, une baignoire qui servait d'abreuvoir, et sur le sol des pelures de pommes de terre et quelques os que les chiens avaient raclés. Ce n'était pas simplement une absence de décorum : il y avait un certain mépris pour les choses, un certain plaisir à les malmener et à les laisser s'abîmer, que je commençais peu à peu à reconnaître aussi à Grana.

Comme si l'avenir de ces endroits était joué d'avance et que les entretenir n'était rien qu'une fatigue inutile.

Mon père et l'oncle de Bruno en étaient à leur deuxième verre, et nous les trouvâmes en pleine discussion sur l'économie d'alpage. C'était à coup sûr mon père qui avait lancé le sujet, lui qui, des autres, ne s'intéressait qu'à la manière dont ils géraient leur vie : combien de bêtes, combien d'hectares de pâture, combien de litres de lait par jour, quel rendement en fromages. Luigi Guglielmina était bien content de pouvoir en parler avec un homme compétent, et il faisait les comptes à voix haute pour lui prouver qu'avec les prix et les normes absurdes qu'on imposait désormais aux éleveurs, son travail n'avait plus aucun sens, et s'il le faisait c'était uniquement par passion.

Il dit : « Quand je serai mort, là-haut, je ne donne pas dix ans à la forêt pour reprendre ses droits. Ils auront la paix, comme ça.

— Vos fils n'aiment pas le métier ? demanda mon père.

— C'est surtout se faire enculer que mes fils n'aiment pas. »

Plus que le vocabulaire utilisé, c'est sa prophétie qui me frappa. Je n'avais jamais pensé qu'un pré avait pu un jour être une forêt, ni qu'il pourrait le redevenir. Je regardai les vaches éparpillées au-dessus de l'alpage et tentai tant bien que mal d'imaginer les premiers arbustes coloniser ces prés, puis grandir, effaçant chaque signe de ce qu'il y avait avant. Les canaux, les murets, les sentiers et même les maisons.

Pendant ce temps, Bruno avait allumé un feu dans le poêle dehors. Sans que personne lui dise rien, il alla à la baignoire remplir une casserole d'eau et se mit à peler les pommes de terre avec son canif. Il savait faire beaucoup de choses : il fit cuire des pâtes et les posa sur la table avec les pommes de terre bouillies, la tomme, la motsetta, le vin. Ses cousins firent alors leur apparition, deux grands costauds qui devaient avoir dans les vingt-cinq ans. Ils s'assirent à côté de nous, mangèrent sans lever les yeux de leur assiette, restèrent une minute à nous regarder puis allèrent se coucher. L'oncle de Bruno les suivit du regard, et dans la grimace qui lui tordait la bouche on pouvait lire tout le mépris qu'il avait pour eux.

Mon père ne faisait pas attention à ces choses. Après le repas, il s'étira le dos, croisa les mains derrière la nuque et leva les yeux au ciel, comme pour profiter du spectacle. Il le dit vraiment comme ça : « Quel spectacle. » Ses vacances touchaient à leur fin et la nostalgie empreignait déjà le regard qu'il posait sur les montagnes. Il y avait des sommets sur lesquels il ne remonterait plus de l'année. Nous en avions plusieurs au-dessus de nos têtes, rien que pierrailles, gendarmes, éperons, couloirs d'éboulis et crêtes cassées. On aurait dit les ruines d'une immense forteresse détruite à coups de canon, et dont toutes les pierres n'avaient pas encore fini de tomber : il n'y avait que mon père pour voir là un spectacle.

« Comment on les appelle ces montagnes ? » demanda-t-il. La question, venant de lui, m'étonna, vu tout le temps qu'il passait devant la carte qu'il avait épinglée au mur.

L'oncle de Bruno leva les yeux comme pour guetter la pluie et, avec un geste indolent, dit :

« Grenon.

— Quel sommet c'est, Grenon ?

— Tous : pour nous, c'est la montagne de Grana.

— Toute la chaîne ?

— Mais oui. Les sommets n'ont pas de nom, ici. Le Grenon, c'est toute cette zone. » Maintenant qu'il avait mangé et bu, il commençait à se lasser de notre compagnie.

« Vous y êtes déjà allé ? insista mon père. Là-haut, je veux dire.

— Quand j'étais jeune. Je chassais avec mon père.

— Et sur le glacier, vous y êtes allé ?

— Non. Ça ne s'est jamais présenté. Mais j'aurais bien aimé, reconnut l'oncle de Bruno.

— Je pensais justement y aller demain, dit mon père. J'amène le petit fouler un peu de neige. Si vous voulez, je prends le vôtre avec. »

Voilà où il voulait en venir. Luigi Guglielmina mit un moment avant de comprendre de qui il parlait. Le mien ? Puis il se souvint de Bruno, à côté de moi : nous jouions avec un des chiens, un chiot né dans l'année, mais nous ne perdions pas une miette de la conversation.

« Toi, ça te dirait ? lui demanda-t-il.

— Oui, oui », dit Bruno.

L'oncle se renfrogna. Il était plus habitué à dire non. Peut-être s'était-il senti piégé par cet étranger, à moins, qui sait, que l'enfant lui ait fait de la peine un instant.

« Alors, vas-y », dit-il. Puis il reboucha la bouteille et quitta la table, fatigué d'avoir l'air de ce qu'il n'était pas.

Le glacier fascinait l'homme de science qu'était mon père plus encore que l'alpiniste. Il lui rappelait ses études de physique et de chimie, la mythologie sur laquelle il s'était construit. Le lendemain, sur le sentier qui nous menait au refuge Mezzalama, il nous raconta une histoire digne d'un de ces mythes : le glacier, dit-il à Bruno et moi, c'est le souvenir des hivers anciens que la montagne garde pour nous. Passé une certaine hauteur, elle en conserve le souvenir, et si on veut retrouver un hiver lointain, c'est là-haut qu'il faut aller le chercher.

« On appelle ça l'*altitude des neiges éternelles*, expliqua-t-il : c'est la hauteur à laquelle il ne fait pas assez chaud l'été pour faire fondre toute la neige qui est tombée l'hiver. Une partie résiste jusqu'à l'automne et finit ensevelie sous la couche de neige de l'hiver suivant. À ce stade, elle ne craint plus rien. Petit à petit, elle se transforme en glace, s'ajoute aux autres couches du glacier qui s'entassent, exactement comme les anneaux des arbres, et il suffit de les compter pour connaître son âge. Mais un glacier ne reste jamais au sommet de la montagne. Il bouge. Toute sa vie, il ne fait que glisser.

— Pourquoi ? demandai-je.

— Pourquoi, d'après toi ?

— Parce qu'il est lourd, dit Bruno.

— Parfaitement, dit mon père. Le glacier est lourd, et la roche sur laquelle il est posé, très lisse. Du coup, il descend. Lentement, mais sûrement. Il glisse jusqu'à ce qu'il ne supporte plus la chaleur. C'est l'*altitude de la fusion*. Vous la voyez, là-bas ? »

Nous marchions sur une moraine qui semblait faite de sable. Une langue de glace et d'éboulis s'avançait en contrebas, bien plus bas que le sentier. Elle était zébrée d'infimes ruisseaux qui se rejoignaient en un petit lac opaque, métallique, glaçant rien qu'à le regarder.

« Cette eau-là, dit mon père, il faut pas croire que c'est la neige de l'hiver dernier. C'est une neige que la montagne a conservée pendant des années et des années : l'eau qu'on voit a peut-être même cent hivers derrière elle.

— Cent, vraiment ? demanda Bruno.

— Peut-être même plus. C'est difficile à dire. Il faudrait connaître précisément l'angle de la pente et le frottement. On va plus vite en faisant un test.

— Comment ça ?

— C'est simple : tu vois les crevasses là-haut ? Demain, on monte, on jette une pièce et on attend au bord du torrent jusqu'à ce qu'elle arrive en bas. »

Mon père éclata de rire. Bruno resta à observer les crevasses et la langue du glacier, et on voyait bien que l'idée le fascinait. Moi, je m'intéressais moins aux hivers anciens. Mon estomac me disait que nous étions en train de dépasser la limite à laquelle, d'habitude, nos ascensions s'arrêtaient. Le temps aussi était insolite : l'après-midi, nous avions essuyé quelques gouttes de pluie et, à présent que le soir approchait, nous nous enfoncions dans le brouillard. Ce fut étrange de découvrir, derrière la moraine, une construction en bois de deux étages. Les gaz d'échappement d'un générateur à essence nous en annonçaient la présence. Ça, et un brouhaha dans des langues que je ne connaissais pas : le perron, aux planches criblées de pointes de crampons, était encombré de sacs à dos, cordes, pulls et chaussettes mis à sécher de partout, des alpinistes passaient avec leurs lacets défaits et leur change à la main.

Le refuge affichait complet ce soir-là. Personne ne passerait la nuit dehors, mais certains allaient devoir dormir sur les bancs et les tables. Bruno et moi étant de loin les plus jeunes de la compagnie, nous mangeâmes parmi les premiers et, pour laisser la place, filâmes aussitôt à l'étage, dans la grande chambrée où nous partagions un matelas. Là-haut, habillés des pieds à la tête et écrasés sous plusieurs couches de couvertures râpeuses, nous restâmes longtemps à attendre le sommeil. De la fenêtre, nous ne distinguions pas d'étoiles, ni les lueurs du fond de la vallée, mais seulement la braise des cigarettes de ceux qui sortaient fumer. Nous écoutions les hommes parler dans la pièce du dessous : après le dîner ils comparaient leurs programmes du lendemain, discutaient du temps incertain ou racontaient d'autres nuits au refuge et de vieux exploits. Parfois, la voix de mon père, qui avait commandé un litre de vin et s'était joint aux autres, arrivait jusqu'à moi. Faute de sommets à conquérir, il s'était fait remarquer comme le type qui amenait deux gamins sur le glacier, et dans ce rôle, il triomphait. Il avait trouvé des gens de sa région avec qui je l'entendais plaisanter en dialecte vénitien. Moi qui étais timide, j'avais honte pour lui.

Bruno me dit : « Il en sait des choses, ton père, hein ?

— Ça, oui, dis-je.

— T'as de la chance qu'il te les apprenne.

— Le tien ne le fait pas ?

— Je ne sais pas. J'ai toujours l'impression de l'embêter. »

Je pensai que mon père savait parler mais qu'écouter était loin d'être son fort. Et encore moins regarder, autrement il aurait compris dans quel état j'étais : j'avais mangé à grand-peine et mal m'en avait pris, car la nausée ne me laissait pas en paix. Les odeurs de soupe qui montaient de la cuisine n'arrangeaient rien. Je prenais de longues inspirations pour calmer mon estomac, et Bruno s'en aperçut : « Ça va pas ?

— Pas trop.

— Tu veux que j'aille chercher ton père ?

— Non, non. Ça va passer. »

Je me réchauffais le ventre avec les mains. J'aurais donné beaucoup pour être dans mon lit et entendre ma mère à côté, devant le poêle. Nous restâmes silencieux jusqu'à ce qu'à dix heures le gardien décrète le couvre-feu, éteigne le générateur, et que le refuge plonge dans le noir, alors apparurent les lampes torches des hommes qui montaient à la recherche d'un lit. Mon père passa à son tour, l'haleine chargée de grappa, pour voir si tout allait bien : je gardai les yeux fermés et fis semblant de dormir.

Le lendemain matin, nous sortîmes avant qu'il ne fasse jour. Le brouillard couvrait les vallées à nos pieds et le ciel était limpide, couleur de nacre, les dernières étoiles pâlissant à mesure qu'il s'éclaircissait. L'aube ne devait pas être loin : les alpinistes qui visaient les sommets plus reculés étaient partis depuis longtemps, nous les avions entendus se préparer dans la nuit, et on devinait maintenant quelques-unes de leurs cordées très avancées, rien que de minuscules naufragés dans le blanc.

Mon père attacha à nos chaussures les crampons qu'il avait loués et nous encorda à cinq mètres de distance les uns des autres, d'abord lui, puis Bruno, puis moi. Il nous harnacha au niveau de la poitrine, en faisant une boucle compliquée par-dessus nos anoraks, mais c'étaient des nœuds qu'il n'avait plus faits depuis des années, et notre adoubement s'avéra long et compliqué. Nous finîmes par quitter le refuge en dernier : comme il nous restait encore un tronçon de blocaille, nos crampons se cognaient aux cailloux et n'arrêtaient pas de s'accrocher entre eux, la corde entravait mes pas et je me sentais gauche, chargé comme une mule. Mais la sensation changea sitôt que je mis le pied sur la neige. De mon baptême du glacier, je me rappelle cela : une soudaine solidité dans les jambes, les pointes d'acier qui mordaient la neige dure, les crampons qui tenaient à la perfection.

Je m'étais réveillé plutôt en forme, mais quand la tiédeur du refuge se fut dissipée, la nausée revint à la charge. Mon père, en tête, tirait le groupe. Je voyais bien qu'il était pressé. Il avait beau affirmer ne vouloir faire qu'un tour, à mon avis, il nourrissait secrètement l'espoir d'atteindre un sommet, et d'épater la galerie en se pointant tout en haut avec nous. Mais je me traînais. À chaque pas, il y avait comme une main qui me vrillait l'estomac. Quand je m'arrêtais pour respirer, la corde qui me retenait à Bruno se tendait, l'obligeant à faire halte à son tour ; la tension arrivait alors à mon père, qui se tournait vers moi, mécontent :

« Qu'est-ce qu'il y a ? demandait-il, pensant que je faisais des simagrées. Allez, du nerf. »

Quand le soleil se leva, trois ombres noires apparurent sur le glacier à côté de nous. La neige perdit sa teinte bleue, prit une blancheur aveuglante et commença presque aussitôt à céder sous nos crampons. Les nuages en contrebas se gonflaient sous l'effet de la chaleur matinale, et même moi je voyais bien qu'ils remonteraient comme la veille. L'idée d'arriver où que ce soit tenait de moins en moins debout, mais mon père n'était pas du genre à le reconnaître et à battre en retraite. Au contraire, il s'entêta de plus belle. À un moment donné, il rencontra une crevasse, jaugea la distance, l'enjamba d'un pas décidé, puis planta son piolet dans la neige et enroula la corde autour du manche pour récupérer Bruno.

Moi, je n'étais plus du tout à ce que nous faisions. L'aube, le glacier, les chaînes de sommets autour de nous, les nuages qui nous coupaient du monde : toute cette beauté inhumaine me laissait de marbre. Tout ce que je voulais, c'était savoir combien il restait encore à marcher. J'arrivai au bord de la crevasse au moment où Bruno, devant moi, se penchait pour voir en bas. Mon père lui dit de respirer un grand coup et de sauter. Attendant mon tour je regardai derrière moi : en dessous de nous, sur un côté, l'inclinaison de la montagne augmentait, et le glacier se brisait en une chute de séracs ; derrière cet enfer de blocs concassés, écroulés, entassés, le refuge que nous avions quitté disparaissait dans le brouillard. J'eus alors le sentiment que nous ne serions jamais revenus en arrière, je cherchai Bruno des yeux pour m'assurer son soutien et le vis qui était déjà de l'autre côté. Mon père lui donnait une tape dans le dos en le félicitant d'avoir sauté. Moi, je n'y serais jamais arrivé. Mon estomac déclara forfait et je rendis mon déjeuner sur la neige. Et c'est ainsi que mon mal des montagnes cessa d'être un secret.

Mon père prit peur. Alarmé, il courut à mon secours, enjambant de nouveau la crevasse et emmêlant les cordes qui nous reliaient tous les trois. Sa réaction me surprit, parce que je m'attendais plutôt à de la colère de sa part, mais je ne me rendais pas compte des risques qu'il avait pris en nous faisant monter si haut. Nous avions onze ans et nous nous traînions sur le glacier, talonnés par le mauvais temps, équipés tant bien que mal, derrière son obstination. Il savait que le seul remède contre le mal des montagnes était de descendre, et il n'hésita pas à le faire. Il inversa la cordée de manière à ce que je me retrouve devant et puisse m'arrêter en cas de besoin. Mon estomac était vide désormais mais il m'arrivait encore d'être secoué de haut-le-cœur, et je ne crachais plus que de la bile.

Peu après, nous entrâmes dans le brouillard. Mon père en bout de cordée me demanda : « Comment ça va ? Tu as mal à la tête ?

— Je ne crois pas.

— Et ton ventre, comment il va ?

— Ça va un peu mieux, répondis-je, même si je me sentais surtout faible, à présent.

— Tiens », dit Bruno. Il me passa une poignée de neige qu'il avait serrée dans sa main pour en faire un glaçon. J'essayai d'en tirer l'eau. Sous l'effet de cette boule de glace et de la descente, mon estomac commença à se calmer.

C'était un matin d'août 1984, et c'est le dernier souvenir que je garde de cet été : le jour suivant,

Bruno retournerait à l'alpage, et mon père à Milan. En attendant, nous étions tous les trois sur le glacier, ensemble, comme jamais plus nous ne le serions, unis les uns aux autres par une corde, que ça nous plaise ou non.

Je me prenais les pieds dans mes crampons et n'arrivais plus à marcher droit. Bruno se tenait juste derrière moi, et une minute après, par-dessus le crissement de nos pas dans la neige, je commençai à entendre son *oh, oh, oh*. C'était le chant avec lequel il rentrait les vaches. *Hé, hé, hé. Oh, oh, oh.* Il s'était mis à le fredonner pour me ramener au refuge, moi qui ne tenais plus debout. Je m'en remis à cette cantilène et laissai mes jambes se caler sur son rythme, si bien que je n'avais plus à penser à rien.

« Mais tu l'as vue, la crevasse ? me demanda-t-il. Nom d'un chien, ce qu'elle était profonde. »

Je ne répondis pas. J'avais encore devant les yeux l'instant où je les avais vus de l'autre côté, si proches et triomphants, comme un père et son fils. Le brouillard et la neige formaient maintenant un blanc uniforme devant moi, et je me concentrais pour ne pas tomber. Bruno ne rajouta rien et reprit le fil de sa mélodie.

III

Au cours de ces années, l'hiver devint pour moi la saison de la nostalgie. Mon père détestait les skieurs, il ne voulait rien avoir à faire avec eux, trouvant qu'il y avait quelque chose d'arrogant dans leur petit jeu qui consistait à dévaler la montagne sans s'être donné la peine de la gravir, le long d'une pente aplanie par les décapeuses et équipée de câbles à moteur. Il les méprisait, parce qu'ils arrivaient en masse et ne laissaient rien d'autre que des ruines derrière eux. L'été, il nous arrivait parfois de croiser sur notre chemin le pylône d'un télésiège, ou quelque engin chenillé à l'arrêt sur une piste défoncée, ou les restes d'une station de ski désaffectée en haute altitude, une roue toute rouillée sur un bloc de béton planté au milieu des cailloux.

« Il faudrait y mettre une bombe », disait mon père, et il ne plaisantait pas.

C'était précisément dans cet état d'esprit qu'à Noël il regardait les reportages sur les vacances des skieurs au journal télé. Des milliers de citadins envahissaient les vallées alpines, faisaient la queue devant ces mêmes installations et dévalaient à toute vitesse nos sentiers, et lui faisait sécession en restant enfermé dans son appartement de Milan. Une fois, ma mère lui proposa de m'emmener un dimanche faire un tour, pour que je voie Grana sous la neige, et mon père répondit sèchement : « Non, il n'aimerait pas voir ça. » L'hiver, la montagne n'était pas faite pour les hommes et il fallait la laisser en paix. Dans la philosophie qui était la sienne, qui consistait à monter et descendre, ou plutôt à fuir en haut tout ce qui lui empoisonnait la vie en bas, après la saison de la légèreté venait forcément celle de la gravité : c'était le temps du travail, de la vie en plaine et de l'humeur noire.

Si bien que je connaissais à mon tour la nostalgie de la montagne, ce mal dont je l'avais vu souffrir pendant des années sans comprendre. Moi aussi, je pouvais désormais ouvrir de grands yeux dès que je voyais la Grigna au fond d'un boulevard. Je me replongeais dans les pages du guide du Club alpin comme on se replonge dans un journal intime, m'imprégnant de leur prose désuète, et m'imaginais refaire les sentiers pas à pas : « en remontant le long de verts escarpements jusqu'à un alpage à l'abandon », « puis en poursuivant à travers éboulis et restes de névés », « pour enfin se déporter vers la crête sommitale à proximité d'une dépression particulièrement marquée ». Pendant ce temps, mes jambes pâlissaient, se remettaient de leurs égratignures et de leurs croûtes

et oubliaient la démangeaison des orties, la sensation glaciale d'un gué sans chaussettes ni chaussures,
le réconfort des draps après un après-midi de grand
soleil. Rien, dans la ville d'hiver, ne me frappait avec
autant de force. Je l'observais à travers un filtre qui
lui faisait perdre ses contours et son éclat, mes yeux
n'y voyant qu'un brouillard de piétons et d'automobiles à traverser deux fois par jour ; et quand je me
penchais à la fenêtre pour regarder le boulevard, les
journées de Grana me semblaient si lointaines que
j'en arrivais à me demander si je les avais vraiment
vécues. Était-il possible que je les aie inventées tout
seul, que je les aie rêvées, et c'est tout ? Jusqu'à ce
que je remarque une nouvelle bande de lumière sur
le balcon, un début de fleur parmi les brindilles qui
perçaient entre les files de voitures : le printemps
revenait même à Milan et ma nostalgie cédait la place
à l'attente du retour.

Bruno attendait ce moment avec la même impatience. À ceci près que moi j'allais et venais, et lui
restait. Il faut croire qu'il guettait les virages du haut
d'un de ses postes d'observation parce qu'il venait
me chercher dans l'heure qui suivait notre arrivée.
« Berio ! » criait-il depuis la cour. Il m'avait rebap-
tisé ainsi. « Allez, sors ! » disait-il, sans me saluer ni
rien, comme si nous nous étions quittés la veille. Et
c'était vrai : les mois passés étaient effacés d'un coup,
et notre amitié semblait vivre un été sans fin.

Bruno grandissait pourtant plus vite que moi. Il arrivait presque chaque fois tout crotté de l'étable, et refusait d'entrer chez nous. Il attendait sur la terrasse, adossé à la rambarde à laquelle aucun de nous trois n'osait s'appuyer, parce qu'elle tremblait dès qu'on la touchait et que nous étions convaincus qu'elle finirait par céder un jour. Il regardait derrière lui, comme pour s'assurer que personne ne l'avait suivi : il avait laissé ses vaches au pré, et m'arrachait à mes livres, pour m'embarquer dans des aventures qu'il préférait ne pas gâcher avec des mots.

« Où on va ? demandais-je en laçant mes chaussures de marche.

— En montagne », se contentait-il de répondre, d'un ton moqueur qu'il avait pris, peut-être le même avec lequel il répondait à son oncle. Il souriait. Je n'avais qu'à lui faire confiance. Ma mère avait confiance en moi, elle le répétait souvent : elle dormait sur ses deux oreilles parce qu'elle savait que je ne ferais jamais rien de mal. Rien d'irréfléchi ou de stupide, comme si elle parlait de dangers tout autres que j'aurais rencontrés dans la vie. Elle n'avait pas besoin d'interdictions et de recommandations pour nous laisser partir.

Aller en montagne avec Bruno n'avait rien à voir avec la conquête de sommets. Certes, nous prenions un sentier, entrions dans la forêt, montions à toutes jambes pendant une demi-heure, mais arrivés à un endroit dont il avait le secret, nous quittions la terre battue et prenions d'autres chemins. En remontant un couloir rocheux, s'il y en avait un, ou en coupant en diagonale au milieu des sapins. Comment il faisait pour s'orienter, c'était un mystère. Il marchait à grandes enjambées, suivant une carte intérieure qui lui indiquait des passages là où je ne voyais rien qu'une rive éboulée, ou un bloc trop abrupt. Mais au dernier moment, entre deux pins tordus, la roche présentait une faille sur laquelle nous pouvions monter, et une vire qui avant ne se voyait pas nous laissait traverser tranquillement. Certaines de ces voies avaient été ouvertes à coups de pioche. Quand je lui demandais qui les avait empruntées, il me répondait « les mineurs » ou « les bûcherons » en me montrant les preuves que je n'avais pas su relever. Une arrivée de téléphérique, bonne pour la casse et envahie par les buissons. La terre encore noire de feu, juste en dessous une couche plus sèche, là où un temps il y avait eu une charbonnière. La forêt était remplie de ces fosses, tas, ferrailles, que Bruno traduisait pour moi comme autant de signes d'une langue morte. Et en plus de ces signes, il m'apprenait un dialecte qui sonnait plus juste que l'italien à mes oreilles, comme si, en montagne, il me fallait remplacer la langue abstraite des livres par la langue concrète des choses, puisque je pouvais maintenant les toucher du bout des doigts. Le mélèze : la *brenga*. Le sapin rouge : la *pezza*. Le pin cembro : l'*arula*. Un auvent rocheux sous lequel on pouvait s'abriter de la pluie, c'était une *barma*. Un rocher, c'était un *berio* et c'était moi, Pietro – je tenais beaucoup à ce nom.

Chaque torrent coupait une vallée, aussi l'appelait-on *valey*, et chaque vallée comportait deux versants de caractère opposé : un *adret* bien exposé au soleil, là où étaient les villages et les champs, et un *envers* humide et ombragé qu'on laissait au bois et aux bêtes sauvages. Quitte à choisir, c'était l'envers que nous préférions.

Là, personne ne venait nous déranger et nous pouvions partir à la chasse au trésor. Il y avait vraiment des mines, dans les forêts autour de Grana : des galeries condamnées par quelques planches de bois clouées que d'autres avant nous avaient déjà défoncées. Dans des temps reculés, à en croire Bruno, ils avaient extrait l'or, cherchant des veines partout dans la montagne, mais ils ne pouvaient quand même pas avoir tout pris, il devait bien en rester encore un peu. Nous nous engouffrions donc dans d'obscurs passages souterrains qui finissaient en culs-de-sac au bout de quelques mètres, et d'autres qui devenaient tortueux et sombres, et nous faisaient entrer dans les profondeurs. Le plafond était si bas que nous tenions à peine debout. L'eau qui ruisselait des parois laissait penser que tout pouvait s'écrouler d'une seconde à l'autre. Je savais que c'était dangereux et je savais aussi que je trahissais la confiance de ma mère, parce qu'il n'y avait rien de raisonnable à aller se fourrer dans des pièges pareils, et lorsque je le faisais j'éprouvais un sentiment de culpabilité qui me gâchait tout le plaisir. J'aurais voulu être comme Bruno, et avoir le courage de me rebeller ouvertement, en affrontant la punition tête haute. Au lieu de ça, je désobéissais en cachette, m'en tirais à bon compte et m'en voulais. Je ruminais ces pensées pendant que les flaques d'eau me trempaient les pieds jusqu'aux os. De l'or, nous n'en trouvions jamais : tôt ou tard un éboulement nous bloquait la route, ou il faisait trop noir pour continuer, et il ne nous restait plus qu'à revenir sur nos pas.

Nous nous consolions en dévalisant de vieilles cahutes sur le chemin du retour. Des baite de bergers que nous trouvions dans le bois, construites sur place avec les moyens du bord, semblables à des tanières. Bruno faisait comme s'il les découvrait en même temps que moi. Il connaissait sans doute par cœur toutes ces cabanes ensauvagées, mais c'était plus excitant de défoncer une porte d'un grand coup d'épaule en faisant comme si c'était la première fois. Dedans, nous faisions main basse sur une écuelle toute cabossée ou la lame émoussée d'une faux en nous figurant avoir dégoté là des pièces d'une valeur inestimable, et arrivés au village, peu avant de nous séparer, nous nous répartissions le butin.

Le soir, ma mère me demandait où nous étions allés.

« Par là », répondais-je en haussant les épaules. Devant le poêle je ne lui donnais guère satisfaction.

« Tu n'as rien vu de beau ?

— Mais si, maman, la forêt. »

Elle me regardait avec mélancolie, comme si elle était en train de me perdre. Elle était convaincue que le silence entre deux personnes était le début de tous les problèmes.

Elle rendait les armes, me laissant à mes pensées : « L'important pour moi, c'est de savoir que tu vas bien. »

Dans l'autre combat qu'elle livrait à Grana, par contre, elle ne désarmait pas. Depuis le début, elle avait fait de la scolarité de Bruno son cheval de bataille, mais elle savait qu'elle n'arriverait à rien toute seule, qu'elle devait s'allier aux femmes de sa famille. Elle avait vite compris que la mère ne lui serait d'aucune aide, aussi avait-elle concentré ses efforts sur la tante. C'est comme ça que ma mère travaillait : en frappant aux portes, en mettant un pied dans les maisons, en revenant bardée de sa gentillesse et de sa détermination, jusqu'à ce que la tante promette de l'envoyer à l'école l'hiver, et chez nous l'été pour faire ses devoirs. C'était déjà une petite victoire. J'ignore ce qu'en pensait l'oncle, à l'alpage, peut-être qu'il nous maudissait tous autant que nous étions, là-haut. À moins qu'en vérité nul ne se souciât vraiment de cet enfant.

Je me rappelle les longues heures passées avec Bruno dans notre cuisine, à réviser nos leçons d'histoire et de géographie pendant que le bois, le torrent, le ciel dehors nous attendaient. Ils nous l'envoyaient trois fois par semaine, lavé et endimanché pour l'occasion. Ma mère lui faisait lire mes livres à voix haute – Stevenson, Verne, Twain, London – et les lui laissait après la leçon, pour qu'il continue ses exercices au pré. Bruno aimait les histoires, mais la grammaire lui donnait du fil à retordre : pour lui, c'était comme étudier une langue étrangère. Et quand je le voyais s'empêtrer dans les règles d'italien, se tromper dans l'orthographe d'un mot ou balbutier un subjonctif, je me sentais humilié pour lui, et j'en voulais à ma mère. Il n'y avait rien de juste dans ce que nous lui imposions. Bruno n'émettait aucune protestation, aucune plainte. Il comprenait à quel point elle y tenait, peut-être était-ce la première fois qu'il valait quelque chose aux yeux de quelqu'un, et il s'obstinait à apprendre.

L'été, on le laissait rarement marcher avec nous, et c'étaient ses jours de fête, la récompense de ses efforts scolaires – peu importe si c'était un sommet sur lequel mon père nous emmenait ou rien qu'un pré au milieu duquel ma mère étendait une couverture pour pique-niquer. Je voyais alors une transformation s'opérer chez Bruno. Indiscipliné par nature, il se pliait aux règles et aux rites de notre famille. Et même si, avec moi, il se comportait déjà en adulte, devant mes parents il retrouvait avec plaisir son âge véritable : il laissait ma mère lui donner à manger, l'habiller, le cajoler, et pour mon père il éprouvait un respect qui frôlait l'admiration. Je le voyais à la façon qu'il avait de le suivre sur le sentier, au silence religieux avec lequel il écoutait ses explications. C'étaient des moments banals de la vie d'une famille, mais Bruno ne les avait jamais connus, et une part de moi était fière comme si c'étaient autant de cadeaux que je lui faisais. L'autre l'observait parfois avec mon père, sentait une complicité entre eux et se disait qu'il aurait fait un bon fils pour lui ; peut-être pas un meilleur que moi, mais un plus juste, en quelque sorte. Il débordait de questions et les lui posait sans crainte. Il avait l'aplomb qu'il fallait pour gagner la confiance de mon père, et des jambes pour le suivre n'importe où. C'est ce que je me disais, parfois, puis je chassais ces pensées comme si elles avaient quelque chose de honteux.

Pour finir, Bruno passa sa cinquième, sa quatrième et même sa troisième, décrochant son brevet avec la mention *passable.* Ce fut un tel événement à Grana que sa tante s'empressa de nous appeler à Milan pour nous annoncer la nouvelle. Quelle étrange expression, pensai-je : qui sait qui l'avait choisie, l'idée qu'il y avait derrière. Parce qu'il n'y avait vraiment rien qui soit « passable » chez Bruno. Ma mère exultait, et quand nous remontâmes à Grana, elle lui remit sa récompense : une mallette de ciseaux et de gouges pour travailler le bois. Puis elle se demanda ce qu'elle pouvait encore faire pour lui.

Vint l'été 1987, celui de nos quatorze ans. Pendant un mois, nous nous consacrâmes à l'exploration méthodique du torrent. Non pas du haut de ses berges, ni à travers les sentiers du bois qui le croisaient çà et là, mais dans l'eau, en plein courant, en sautant de bloc en bloc ou en passant à gué. Du canyoning, si tant est que ce sport existât déjà, nous ignorions jusqu'au nom, et de toute façon nous le pratiquions en sens inverse : en remontant le vallon depuis le pont de Grana. Juste après le village, nous pénétrions une longue gorge d'eaux tranquilles, à l'ombre des rives pleines à craquer de végétation. Grandes mares infestées d'insectes, entrelacs de bois noyé, vieilles truites méfiantes qui filaient en douce à notre passage. Plus haut, la pente nous compliquait la tâche, rendant le courant impétueux et transformant le parcours en une succession de sauts et de cascades. Lorsque nous ne trouvions pas d'appuis, nous équipions le rapide avec un bout de corde ou un tronc d'arbre que nous mettions à l'eau et calions entre les blocs pour l'utiliser comme marche. Une seule petite cascade pouvait nous coûter des heures de travail. Mais c'était justement là toute la beauté de la chose. L'idée était de résoudre un passage à la fois, puis de les enchaîner les uns après les autres, en remontant tout le torrent par un glorieux jour de fin d'été.

Il nous fallait encore découvrir où il prenait sa source. Autour du 15 août, nous avions déjà dépassé les terrains de l'oncle de Bruno. Il y avait un gros affluent d'où l'alpage tirait son eau, et quelques mètres après cette bifurcation, un dernier pont de fortune, ni plus ni moins que quelques planches servant de passerelle ; ensuite, le torrent rétrécissait et ne présentait plus aucune difficulté. Voyant les arbres se faire plus rares, je compris que nous allions bientôt franchir les deux mille mètres. Les aulnes et les bouleaux disparaissaient des rives, tous les autres arbres avaient été détrônés par des mélèzes, et au-dessus de nos têtes s'ouvrait ce monde de pierres que Luigi Guglielmina avait appelé Grenon. Le lit du torrent perdit soudain son apparence – l'aspect d'un sillon creusé et modelé par l'eau – et ne fut plus que pierraille. L'eau disparut littéralement sous nos pieds. Elle sortait donc des cailloux, au milieu des racines tordues d'un genévrier.

Ce n'était pas comme ça que j'avais imaginé ma source, et j'en fus déçu. Je me tournai vers Bruno qui me suivait quelques pas plus bas. Tout l'après-midi, il était resté dans son coin, perdu dans je ne sais quelle pensée. Quand ça lui prenait, je ne trouvais rien de mieux que marcher en silence, et espérer que ça lui passe.

Mais quand il vit le torrent, il revint à notre affaire. Il comprit ma déception au premier regard. « Attends », dit-il. Il me fit signe de me taire et tendit l'oreille. La main en cornet, il observa la caillasse à nos pieds.

L'air ce jour-là n'était pas figé comme en plein été. Sur les cailloux tièdes un vent plus froid soufflait qui, en se frayant entre les fleurs, emportait avec lui de douces poussières de pollen et agitait les feuilles. Par-dessus ce souffle, en écoutant bien, j'entendis un murmure. Différent de celui que l'eau fait en plein jour, un bruit plus sourd et profond. Il semblait provenir des pierres. Je compris ce que c'était et me mis à le suivre, montant plus haut encore, à la recherche de cette eau que j'entendais et ne voyais pas, tel un sourcier. Bruno, qui savait déjà ce que nous allions découvrir, me laissait prendre les devants.

Nous trouvâmes un lac, caché dans un bassin au pied du Grenon. Il devait faire entre deux et trois cents mètres, le plus grand que j'avais jamais vu en montagne, et formait un cercle. Ce qui est beau, avec les lacs alpins, c'est que l'on ne s'attend jamais à les trouver si on ne sait pas qu'ils sont là, on ne les voit pas tant que l'on n'a pas fait le dernier pas, on dépasse la berge et là, sous les yeux, c'est un paysage nouveau qui s'ouvre. Le bassin n'était que pierraille côté soleil, et plus nous regardions vers l'ombre, plus il se couvrait de saules et de rhododendrons, d'abord, puis de forêt. Au milieu il y avait ce lac. En l'observant, j'arrivais à comprendre comment il était né : l'éboulement ancien qu'on voyait depuis l'alpage de l'oncle de Bruno avait condamné le vallon, formant comme une digue. De sorte qu'un lac s'était formé en amont, en recueillant l'eau de la fonte des névés alentour, et en aval cette même eau refaisait surface, après avoir été filtrée sous les rochers, pour donner notre torrent. J'aimais qu'il naisse de cette façon, c'était une origine qui me semblait digne d'un grand fleuve.

« Comment il s'appelle, ce lac ? demandai-je.

— Qu'est-ce que j'en sais, moi, dit Bruno. Il s'appelle Grenon, on appelle tout comme ça ici. »

Il avait retrouvé son humeur d'avant. Il s'assit dans l'herbe et je restai debout à côté de lui. Nous avions moins de peine à contempler le lac qu'à nous regarder dans le blanc des yeux. À quelques mètres, un bloc sortait de l'eau, formant comme un îlot, et ça nous arrangeait bien de le fixer.

« Tes parents sont venus parler à mon oncle, dit Bruno au bout d'un moment. Tu le savais ?

— Non, mentis-je.

— Bizarre. De toute façon, j'y comprends rien.

— À quoi ?

— À vos cachotteries.

— Et ils ont parlé de quoi avec ton oncle ?

— De moi », répondit-il.

Je m'assis à côté de lui. Je ne fus pas étonné de ce qu'il m'annonça ensuite. Ça faisait longtemps que mes parents en discutaient, et je n'avais pas eu besoin d'écouter aux portes pour connaître leurs intentions : la veille, ils avaient proposé à Luigi Guglielmina d'emmener Bruno avec nous, en septembre. De l'emmener à Milan. Ils envisageaient de l'accueillir chez nous et de l'inscrire à une école supérieure. Un lycée technique ou professionnel, ou ce qu'il préférerait. Ils avaient pensé à une année d'essai : si Bruno ne s'y plaisait pas, il pourrait renoncer et retourner à Grana l'été suivant ; dans le cas contraire, mes parents seraient contents de le garder chez nous jusqu'au diplôme. À lui ensuite de décider, librement, de ce qu'il ferait de sa vie.

Même dans le récit de Bruno, j'arrivais à entendre la voix de ma mère. *Le garder chez nous. Librement. De sa vie.*

Je dis : « Ton oncle ne voudra jamais.

— Tu te trompes, dit Bruno, et tu sais pourquoi ?

— Non, pourquoi ?

— À cause de l'argent. »

Il fouilla la terre avec un doigt, ramassa un petit caillou et ajouta : « Qui est-ce qui paie ? C'est tout ce qui intéresse mon oncle. Tes parents ont dit qu'ils en faisaient leur affaire. La nourriture, le logement, l'école, tout. Pour lui, ça fait pas un pli.

— Et ta tante, qu'est-ce qu'elle dit ?

— Elle, elle est d'accord.

— Et ta mère ? »

Bruno soupira. Lança son caillou dans l'eau. Il était si petit qu'il ne fit aucun bruit. « Ma mère, qu'est-ce qu'elle dit ? Comme toujours. Rien de rien. »

Une couche de boue séchée recouvrait les rochers de la rive. Une croûte noire haute d'un empan qui montrait jusqu'où le lac était monté au printemps. Les névés qui l'alimentaient n'étaient plus que des taches grises dans les couloirs, et si l'été avait continué comme ça, ils auraient fini par disparaître eux aussi. Sans cette neige, qui sait ce que serait devenu le lac.

« Et toi ? demandai-je.

— Quoi, moi ?

— Ça te dirait ?

— De venir à Milan ? dit Bruno. Mais qu'est-ce que j'en sais, moi ! Tu te rends compte que ça fait depuis hier que j'essaie de m'imaginer ? J'ai beau essayer, je n'y arrive pas, je ne sais même pas à quoi elle ressemble, cette ville. »

Nous restâmes sans dire un mot. Moi qui savais à quoi elle ressemblait, cette ville, je n'avais pas besoin d'en savoir plus pour m'insurger contre l'idée de mes parents. Bruno aurait détesté Milan et Milan aurait été la fin de Bruno, comme quand sa tante le lavait et l'habillait et l'envoyait chez nous apprendre ses verbes. Je ne comprenais vraiment pas pourquoi ils faisaient tout pour le transformer en ce qu'il n'était pas. Quel mal y avait-il à le laisser garder des vaches toute sa vie ? Je ne me rendais pas compte que ma réaction était tout ce qu'il y a de plus égoïste, parce qu'il ne s'agissait pas tant de Bruno, de ses envies, de son avenir, que de l'usage que je voulais continuer de faire de lui : mon été, mon ami, ma montagne. J'espérais que rien ne change jamais là-haut, pas même les cahutes calcinées ou les tas de fumier que je croisais sur la route. Que lui et les cahutes et le fumier restent toujours pareils à eux-mêmes, arrêtés dans le temps, à m'attendre.

« Tu devrais peut-être leur dire, proposai-je.

— Quoi ?

— Que tu ne veux pas aller à Milan. Que tu préfères rester ici. »

Bruno se tourna vers moi. Fronça les sourcils. Il ne s'attendait pas à ce conseil venant de moi. Peut-être était-il de cet avis mais n'était pas d'accord que je voie les choses comme lui. « Mais t'es fou ou quoi ? dit-il. Moi je reste pas ici ! Depuis que je suis né, je ne fais rien d'autre que monter et descendre cette montagne. »

Puis il se leva, là, dans le pré où nous étions, mit la main en cornet autour de sa bouche et cria : « Oh ! Tu m'entends ? C'est moi, Bruno ! Je me casse ! »

Sur la rive opposée du lac, la pente du Grenon nous renvoya l'écho de son cri. Nous entendîmes des cailloux dégringoler. Son cri avait surpris des chamois qui escaladaient la pierraille.

Ce fut Bruno qui me les montra. Ils passaient au milieu de rochers qui les rendaient presque invisibles, mais quand ils traversèrent un névé je pus les compter. C'était un petit troupeau de cinq têtes. Ils remontèrent la tache de neige en file indienne, arrivèrent sur la crête et s'arrêtèrent un moment, comme pour nous regarder une dernière fois avant de partir. Puis ils disparurent un à un sur l'autre versant.

Le quatre mille de cet été devait être le Castor. Avec mon père, nous en escaladions un chaque année, sur le mont Rose, pour conclure la saison en beauté une fois que nous étions bien entraînés. Je continuais de monter sur les glaciers, et d'en souffrir les effets. J'avais simplement fini par me résigner à me sentir mal, et accepter mon mal-être comme quelque chose qui faisait partie de ce monde, au même titre que le réveil avant l'aube, ou la nourriture lyophilisée des refuges ou le croassement des corbeaux en haute altitude. C'était une façon d'aller en montagne qui n'avait plus rien d'aventureux. C'était la violence de mettre un pied devant l'autre en vomissant ses tripes jusqu'au sommet. Je détestais ça, et chaque fois, je finissais aussi par détester ce désert blanc, ce qui ne m'empêchait pas d'arborer fièrement mes quatre mille comme autant de preuves de mon courage. En 1985, le feutre noir de mon père avait atteint la pyramide Vincent, en 1986, la pointe Gnifetti. Pour lui, ces sommets étaient un entraînement. Il s'était informé auprès d'un médecin, et il était sûr que le mal des montagnes finirait par me passer, si bien que d'ici trois ou quatre ans, nous aurions pu nous attaquer aux choses sérieuses, comme la traversée des Lyskamm ou les roches de la Dufour.

Mais du Castor, plus que la longue crête, je me rappelle la veillée au refuge, lui et moi, tout seuls. Une assiette de pâtes, un demi-litre de vin sur la table, les alpinistes assis à côté qui discutaient entre eux, leur visage rougi par la fatigue et le soleil. L'attente du lendemain créait dans la salle comme une atmosphère de recueillement. Assis devant moi, mon père parcourait le livre d'or qui, dans les refuges, était sa lecture de prédilection. Il parlait couramment l'allemand et comprenait le français, et il lui arrivait parfois de me traduire un passage écrit dans l'une ou l'autre de ces langues des Alpes. Dans ce livre, quelqu'un était retourné sur ce sommet trente ans après et remerciait Dieu. Un autre sentait le vide laissé par un ami qui n'était pas là. Autant de choses qui le touchaient, si bien qu'il prit son stylo et se joignit à ce journal collectif.

Quand il se leva pour se resservir du vin, je lorgnai ce qu'il avait écrit. Il avait une écriture serrée et nerveuse, difficile à déchiffrer au premier abord. Je lus : *Ici avec mon fils Pietro de quatorze ans. Sans doute l'une de mes dernières cordées devant, car bientôt ce sera lui qui me tirera. Je ne suis pas pressé de redescendre en ville, mais j'emporte avec moi le souvenir de ces journées de marche comme le plus beau des refuges.* Signé : *Giovanni Guasti.*

Au lieu de m'émouvoir ou de me flatter, ces lignes m'exaspérèrent. Elles sonnaient faux et avaient quelque chose de sentimental, une rhétorique de la montagne qui ne collait pas du tout à la réalité. Si c'était le paradis, pourquoi ne restions-nous pas vivre là-haut ? Pourquoi arracher de ces terres un ami qui y était né et y avait grandi ? Et si la ville était à ce point détestable, pourquoi obliger Bruno à aller y vivre avec nous ? J'aurais bien posé la question à mon père. Et à ma mère aussi, tant qu'à faire. Comment pouvez-vous être si sûrs de ce qui convient à la vie d'un autre ? Il ne vous vient pas à l'esprit un seul instant que, peut-être, il le sait mieux que vous ?

Mais quand mon père retourna s'asseoir, il rayonnait : il avait encore trois jours de vacances devant lui, nous étions un vendredi d'août de ses quarante-cinq ans, et il était dans un refuge de montagne avec son fils. Il avait ramené un deuxième verre rempli à moitié qu'il me tendit. Peut-être imaginait-il, maintenant que je commençais à devenir grand et que je me libérais du mal des montagnes, que notre relation père-fils allait évoluer vers quelque chose d'autre. Compagnons de cordée, comme il l'avait écrit dans le livre. Compagnons de beuverie. Peut-être nous imaginait-il vraiment comme ça, dans quelques années, assis à une table à trois mille cinq cents mètres, à siroter notre vin rouge et à étudier le tracé des sentiers, sans aucun secret entre nous.

« Ça va, ton ventre ? me demanda-t-il.

— On fait aller.

— Et tes jambes ?

— Elles, très bien.

— Parfait. Alors demain, on va s'en payer une belle. »

Mon père leva son verre. Je fis de même, trempai les lèvres dans le vin et trouvai qu'il avait bon goût. Je n'avais pas fini d'avaler ma première gorgée que le type assis à côté de moi éclata de rire, dit quelque chose en allemand et m'envoya une tape dans le dos, comme si je venais d'entrer dans la grande famille des hommes et qu'il me souhaitait la bienvenue.

Le lendemain soir, nous rentrâmes à Grana en vétérans du glacier. Mon père avec sa chemise ouverte, son sac à dos sur une épaule et l'allure claudicante que lui donnaient ses ampoules aux pieds ; moi avec une faim de loup, car dès que je perdais de l'altitude mon estomac se réveillait et se rendait compte qu'il n'avait rien gardé pendant deux jours. Ma mère nous attendait avec un bain chaud et la table mise. Viendrait ensuite le moment des anecdotes, avec mon père qui essayait tant bien que mal de lui décrire la couleur de la glace dans les crevasses, le vertige des faces nord, l'élégance des grandes corniches de neige sur les crêtes, et moi qui de toutes ces visions gardais des souvenirs confus, embués par la nausée. La plupart du temps, je me taisais. J'avais déjà intégré ce que mon père n'avait jamais voulu accepter, à savoir que nul ne peut faire comprendre les sensations éprouvées là-haut à celui qui n'est pas sorti de chez lui.

Mais ce soir-là nous n'eûmes rien le temps de raconter. J'allais prendre mon bain quand j'entendis la voix d'un homme qui braillait, en bas dans la cour. Je me mis à la fenêtre et ouvris les rideaux : je vis un type qui gesticulait et vociférait des mots que je ne comprenais pas. Mon père était seul dehors. Il avait étendu ses chaussettes sur le balcon et lavait ses pieds endoloris à l'abreuvoir, si bien qu'il dut se lever du bord de la vasque pour affronter l'inconnu.

Sur le coup, je pensai que c'était un éleveur fâché de voir ce qu'on faisait de son eau. À Grana, ils inventaient tout et n'importe quoi pour s'en prendre aux gens de la ville. C'était facile de reconnaître les locaux : ils avaient tous la même façon de se mouvoir, les mêmes traits prononcés d'où ressortaient, entre le front et les joues, deux yeux bleus. L'homme était plus petit que mon père, à l'exception de ses bras musclés et de ses mains larges, totalement disproportionnées par rapport au reste de son corps, et avec lesquelles il attrapa mon père par le col de la chemise. On aurait dit qu'il voulait le soulever.

Mon père écarta les bras. Je le voyais de dos et l'imaginai qui disait : « Du calme, du calme. » L'homme maugréa quelque chose, laissant voir des dents ravagées. Son visage l'était aussi, mais je ne savais pas par quoi, parce que j'étais encore trop jeune pour reconnaître une tête d'ivrogne. Il fit une grimace pareille à celle de Luigi Guglielmina et je vis alors à quel point il lui ressemblait. Mon père commença à s'agiter lentement. Je comprenais qu'il essayait de s'expliquer et, le connaissant, j'étais sûr que ses arguments étaient imparables. L'homme baissa les yeux, comme je le faisais toujours. Il semblait s'être ravisé mais gardait les mains crispées sur son col. Mon père tourna les paumes vers le ciel comme pour dire : alors, on est au clair ? On fait quoi maintenant ? Il y avait quelque chose de ridicule à le voir pieds nus dans une situation pareille. Sur ses jambes, la ligne des chaussettes dessinait une courte bande de peau écarlate qui tranchait avec les chevilles pâles et arrivait jusque sous le genou, la zone que le pantalon de zouave laissaient nue. Voilà un homme de la ville cultivé, sûr de lui, habitué à dire aux autres ce qu'ils devaient faire, qui venait de se brûler les mollets sur le glacier et essayait de faire entendre raison à un montagnard aviné.

L'homme décida qu'il en avait assez. D'une seconde à l'autre, sans crier gare, il baissa la main droite, la raidit et frappa mon père à la tempe. C'était la première fois de ma vie que je voyais un coup de poing en vrai. Le bruit des doigts s'écrasant sur la pommette arriva jusque dans la salle de bains, sec comme un coup de baguette. Mon père recula de deux pas, chancela, réussit à ne pas tomber. Mais ce furent les bras, tout de suite après, qui lui tombèrent le long du corps, et les épaules qui s'affaissèrent. C'était le dos d'un homme très triste. L'autre lui dit une dernière chose avant de s'en aller, une menace ou une promesse, et je ne fus pas étonné, à la fin, de le voir se diriger chez les Guglielmina. Pendant ce bref affrontement, j'avais compris qui il était.

Il était revenu pour réclamer ce qui lui appartenait. Il ne savait pas qu'il s'en était pris à la mauvaise personne. Au final, ça revenait au même : ce poing fut décoché dans la tête de mon père pour qu'il aille se planter tout droit dans le crâne de ma mère. Ce fut l'irruption de la réalité dans son idéalisme, et peut-être aussi son arrogance. Le lendemain Bruno et son père disparurent de la circulation ; l'œil du mien gonfla et vira au bleu. Mais je ne crois pas que c'était son œil qui lui faisait le plus mal, quand le soir venu il prit sa voiture et partit pour Milan.

La semaine qui suivit était notre dernière à Grana. La tante de Bruno vint parler à ma mère, contrite, circonspecte, inquiète, peut-être surtout à l'idée de perdre des locataires fidèles comme nous. Ma mère la rassura. Elle songeait déjà à limiter les dégâts, préserver les liens laborieusement noués.

Cette semaine fut pour moi interminable. Il pleuvait souvent : une chape de nuages bas cachait les montagnes et parfois se dissipait, laissant voir la première neige autour des trois mille mètres. J'aurais voulu prendre un des sentiers que je connaissais pour aller la fouler sans rien demander à personne. Au lieu de ça, je restai au village, à me repasser en boucle la scène que j'avais vue et à me sentir coupable de ce que j'avais ressenti, jusqu'au dimanche où nous fermâmes la porte à clé et partîmes à notre tour.

IV

Ce coup de poing, je ne pus me le sortir de la tête
que des années plus tard, quand je trouvai enfin le
courage de décocher le mien. Ce fut le premier d'une
longue série, pour être tout à fait honnête, et les
plus durs, je les donnerais plus tard, en plaine, mais
il me semble juste aujourd'hui que mon âge rebelle
ait commencé en montagne, comme tout ce qui a
compté un tant soit peu pour moi. Les faits, en soi,
étaient dérisoires : j'avais seize ans, et un jour mon
père décida de m'emmener camper. Il avait acheté
une vieille canadienne qui pesait une tonne sur le
stand d'un surplus américain. Il s'imaginait la planter
au bord d'un petit lac, pêcher quelques truites au nez
et à la barbe des gardes forestiers, allumer un feu à la
tombée de la nuit et faire griller les poissons dessus,
et puis, qui sait, rester jusqu'à point d'heure devant
les braises en buvant et en chantant.

Comme mon père n'avait jamais été très porté sur
les bivouacs, je me doutais que son programme me
réservait d'autres surprises. Depuis quelque temps,

je m'étais retranché dans un coin d'où j'observais notre vie de famille d'un œil impitoyable. Les habitudes inextirpables de mes parents, les vaines colères de mon père et les trucs dont ma mère usait pour les contenir, les petits abus de pouvoir et les subterfuges auxquels ils ne se rendaient plus compte d'avoir recours. Lui, irascible, autoritaire, intolérant, elle, forte et tranquille et conservatrice. Leur façon rassurante de jouer toujours le même rôle en sachant que l'autre jouerait le sien : ce n'étaient pas de vraies discussions que les leurs, mais des dialogues écrits d'avance dont je devinais immanquablement la chute, et dans cette cage je finissais moi aussi par étouffer. J'avais senti le besoin urgent de fuir. Mais je n'étais jamais parvenu à le dire. Jamais je n'avais eu un mot de travers, pas une fois je n'avais protesté contre quoi que ce soit, et je crois que c'était justement pour ça, pour me faire *parler*, que cette maudite tente était venue sur le tapis.

Après manger, mon père étala le matériel dans la cuisine et le divisa de façon à ce que nous nous répartissions le poids. Les tiges et les sardines devaient peser dix kilos à elles seules. Plus les sacs de couchage, les anoraks, les pulls en laine, la nourriture : nos paquetages furent aussitôt remplis. Agenouillé sur le carrelage, mon père commença par défaire les sangles une à une, puis poussa, comprima, tira, en guerre contre les masses et les volumes, et moi je transpirais déjà à l'idée de porter tout ce barda sous un soleil de plomb. Ce n'était pas le poids qui me parut insupportable mais vraiment la scène que mon père, encouragé peut-être par ma mère, s'était imaginée : le feu de camp, le petit lac, les truites, le ciel étoilé, toute cette intimité.

« Allez papa, dis-je, laisse tomber.

— Attends, attends, dit-il, encore en train de fourrer quelque chose dans son sac à dos, concentré dans l'effort.

— Non, sérieusement, c'est inutile. »

Mon père s'arrêta net et leva les yeux vers moi. La lutte avait laissé une expression furibonde sur son visage, et à la façon dont il me scrutait, j'avais l'impression d'être un autre sac à dos hostile, une autre sangle qui refusait de lui obéir.

Je haussai les épaules.

Pour mon père, si je ne disais rien, ça signifiait qu'il pouvait parler. Son front se détendit et il dit : « On n'a qu'à emporter moins de choses. Tu me donnes un coup de main ?

— Non, répondis-je. Ça ne me dit vraiment rien.

— Qu'est-ce qui te dit rien, la tente ?

— La tente, le lac, et tout ce qui va avec.

— Comment ça, tout ce qui va avec ?

— J'en ai pas envie. Je reste ici. »

Je ne pouvais lui infliger de coup plus terrible. Refuser de le suivre en montagne : il fallait bien que ça arrive un jour, il devait s'y attendre. Parfois je me dis que, n'ayant pas eu de père, il y avait des affronts qu'il n'avait jamais lancés et qu'il ne s'attendait donc pas à essuyer. Il en fut profondément blessé. Il aurait pu me poser d'autres questions, qui sait, ç'aurait peut-être été l'occasion pour lui d'écouter ce que j'avais à dire, mais il faut croire qu'il en était incapable, ou que ça ne lui paraissait pas nécessaire, ou qu'il était trop vexé pour y penser. Il laissa en plan les sacs à dos, la tente et les duvets, et partit seul marcher. Pour moi ce fut une libération.

Bruno avait connu un tout autre destin, et travaillait maintenant comme maçon avec son père. Je ne le voyais pratiquement jamais. Ils construisaient des refuges et des chalets en haute montagne, et restaient dormir là-haut la semaine. Je le croisais le vendredi ou le samedi, pas à Grana, mais dans quelque bar du fond de la vallée. J'avais tout le temps que je voulais depuis que je m'étais libéré de mon obligation d'alpinisme, et pendant que mon père montait aux sommets, je descendais en plaine chercher la compagnie des jeunes de mon âge. Il me suffit de le faire deux trois fois pour être admis parmi les vacanciers : je passais les après-midi entre les bancs d'un tennis et les tables d'un bar, espérant que nul ne remarque que je n'avais pas de quoi me payer à boire. J'écoutais les bavardages, regardais les filles, levais parfois les yeux vers les montagnes. Je reconnaissais les pâturages et les minuscules taches des baite blanchies à la chaux. Le vert éclatant des mélèzes qui cédait la place au vert sombre des sapins, l'adret et l'envers. Je savais que je n'avais pas grand-chose en commun avec ces adolescents en villégiature mais je voulais combattre l'instinct qui me poussait à m'isoler, essayer de passer un peu de temps en société et voir ce que ça donnait.

Vers sept heures du soir les ouvriers, les maçons, les éleveurs faisaient leur entrée au bar. Ils descendaient des fourgonnettes ou des 4 × 4, la combinaison couverte de boue ou de plâtre ou de sciure, avec cette démarche chaloupée qu'ils apprenaient enfants, comme si, en plus de leur propre corps, ils devaient toujours déplacer des kilos. Ils s'installaient au comptoir pour y pousser gueulantes et jurons, plaisanter avec les serveuses et commander des tournées. Bruno était parmi eux. Il avait pris des muscles, visiblement, et aimait les montrer en remontant les manches de sa chemise. Il possédait toute une collection de casquettes et un portefeuille qui sortait de la poche de son jean. C'était le détail qui me frappait le plus : gagner de l'argent était une perspective plus que lointaine pour moi. Il dépensait sans compter, payant sa tournée avec des billets froissés, comme les autres.

Avec ce même air distrait, il finissait quand même par se tourner vers moi. Il savait d'avance qu'il rencontrerait mon regard. Il me faisait un signe du menton, et je lui répondais en levant les doigts d'une main. Nous nous regardions une seconde. Pas plus. Personne ne s'en apercevait, c'était le seul geste que nous échangions de la soirée, et moi, je n'étais pas sûr de bien saisir le sens de ce salut. Il pouvait vouloir dire : je ne t'ai pas oublié, tu me manques. Ou : ça fait deux ans seulement, mais on croirait une vie, tu ne trouves pas ? Ou peut-être : hé, Berio, qu'est-ce que tu fiches avec ces gens ? Je ne savais pas ce que Bruno pensait du règlement de comptes entre nos pères. S'il regrettait comment ça s'était terminé ou si, avec le recul, cette histoire lui semblait aussi lointaine et irréelle qu'à moi. Il n'avait pas l'air du tout à plaindre. Mais peut-être que moi, si.

Son père se tenait avec lui dans la rangée des buveurs, du côté de ceux dont la voix était la plus braillarde et le verre toujours vide. Il parlait à Bruno comme à n'importe quel autre camarade. Je n'aimais pas cet homme, mais sur ce point-là, je les enviais : il n'y avait rien de tangible entre eux, pas plus de brusquerie ou d'attention dans le ton de la voix, pas un geste d'agacement, de confiance ou de gêne, et à moins de le savoir nul n'aurait deviné qu'ils étaient père et fils.

Tous les garçons de la vallée ne perdaient pas leur été au bar. Au bout de quelques jours, l'un d'eux me conduisit dans une zone derrière le fleuve, un bois de pins sylvestres qui cachait d'énormes blocs, aussi étrangers à ce paysage que des météorites. Le glacier avait dû les charrier jusque-là pendant la nuit des temps. Puis la terre, les feuilles, la mousse les avaient recouverts, et les pins avaient poussé autour d'eux et sur eux, mais certains avaient été remis au jour, frottés à la paille de fer et même affublés d'un nom. Les adolescents se mesuraient en cherchant tous les moyens possibles et imaginables de les escalader.

Sans cordes ni pitons, essayant encore et encore des passages à un mètre du sol, atterrissant sur le moelleux du sous-bois. Les deux ou trois plus forts étaient un plaisir pour les yeux : agiles comme des athlètes, les mains écorchées et blanches de magnésite, c'étaient eux qui avaient amené ce jeu de la ville à la montagne. Ils l'enseignaient volontiers aux autres, et je demandai à essayer moi aussi. Je sentis tout de suite que j'étais fait pour ça. Au fond, j'avais déjà escaladé toutes sortes de rochers avec Bruno sans rien y connaître, alors même que mon père m'avait toujours défendu de m'aventurer là où il fallait utiliser les mains. Ce fut peut-être pour cette raison aussi que je décidai d'y exceller.

Au coucher du soleil, notre cercle s'élargissait avec l'arrivée des fêtards. Quelqu'un faisait un feu, un autre apportait de quoi boire et de quoi fumer. Nous nous asseyions tout autour, et pendant qu'une bouteille de vin tournait j'écoutais des discours totalement nouveaux pour moi, qui me fascinaient autant que les filles derrière les flammes. Je connus l'histoire de ces hippies californiens qui avaient inventé l'escalade libre, en bivouaquant des étés entiers sous les murs du Yosemite et en grimpant à moitié nus ; ou de ces Français qui s'entraînaient dans les calanques de Provence, avaient les cheveux longs et l'habitude de monter léger, comme des flèches, et qui, lorsqu'ils quittaient la mer pour les aiguilles du Mont-Blanc, humiliaient les vieux alpinistes comme mon père. La grimpe, c'était le plaisir d'être ensemble, d'être libre et de faire des expériences, aussi un rocher de deux mètres au bord d'un fleuve valait-il autant qu'un huit mille. Ça n'avait rien à voir avec le culte de l'effort et la conquête de sommets. J'écoutais, et la nuit tombait sur le bois. Les troncs vrillés des pins, l'odeur forte de résine, les blocs blancs à la lueur des flammes faisaient de cet endroit un refuge bien plus accueillant que ceux que j'avais connus sur le mont Rose. Plus tard dans la nuit, quelqu'un retentait un passage, cigarette aux lèvres, l'équilibre troublé par l'alcool ; un autre s'éloignait avec la fille assise à côté de lui.

Je ne remarquais pas les différences qu'il y avait entre nous, dans ce bois, peut-être étaient-elles aussi moins évidentes qu'ailleurs. C'était pourtant la jeunesse dorée de Milan, de Gênes et de Turin. Les moins fortunés habitaient dans les petites maisons de la haute vallée, des édifices construits à tout va au pied des pistes de ski ; les autres dans les anciennes bâtisses de montagne et dans des hameaux perdus où chaque pierre et chaque planche avaient été prélevées, numérotées puis reposées selon le bon vouloir d'un architecte. Il m'arriva une fois de passer la porte de l'une d'elles, en allant avec un ami chercher du vin pour le soir. De l'extérieur, on aurait dit une vieille grange avec des murs en rondins : à l'intérieur, elle se révélait la maison d'un antiquaire ou d'un collectionneur, un étalage de livres d'art, de toiles, de meubles, de sculptures. Et de bouteilles, aussi : mon ami ouvrit une armoire et nous en remplîmes chacun un sac.

« Ton père ne dira rien si on prend tout son vin ?
lui demandai-je.

— Mon père ! » s'exclama-t-il, comme si le mot
lui-même était ridicule. Nous laissâmes la cave dévali-
sée et regagnâmes le bois en courant.

Le mien de père ne décolérait pas. Il s'était remis
à aller seul en montagne, se levant à l'aube et partant avant que nous soyons debout, et pendant son
absence j'épiais parfois sa carte pour contrôler ses
nouvelles conquêtes. Il avait commencé à explorer
une partie de la vallée que nous avions toujours évi-
tée, parce qu'on voyait d'en bas qu'il n'y avait rien
là-haut : ni hameaux, ni eau, ni refuges, ni beaux
sommets, rien que des versants qui montaient, droits
et secs, sur deux mille mètres, et des pierrailles à
perte de vue. Je crois qu'il y allait pour évacuer sa
déception, ou chercher un paysage qui s'accordait
avec son humeur. Il ne m'avait plus proposé de le
suivre. De son point de vue, c'était à moi de faire le
premier pas. Si j'avais eu le courage de dire *non*, il me
fallait maintenant avoir celui de dire *pardon* et *s'il te
plaît*.

Le moment du glacier, de nos deux jours de gloire
du 15 août, arriva et je le vis qui préparait ses crampons, le piolet sévère comme une arme, la gourde
toute cabossée. On aurait dit le dernier vétéran d'un
alpinisme de combat, un de ces soldats grimpeurs
qui, pendant les années 1930, allaient périr en masse

sur les parois nord des Alpes, attaquant la montagne à l'aveugle.

« Tu devrais lui parler, dit ma mère ce matin-là. Ça lui pèse, tu sais.

— Ça serait pas plutôt à lui de venir ?

— Toi tu es capable, lui non.

— Capable de quoi ?

— Tu le sais très bien. Il n'attend qu'une chose, c'est que t'ailles le voir et que tu lui proposes de l'accompagner. »

Je le savais, c'est vrai, mais je n'en fis rien. Je retournai dans ma chambre et le regardai peu après par la fenêtre s'éloigner d'un pas lourd, le sac à dos surchargé de ferraille. On ne s'aventure pas tout seul sur un glacier, et je savais qu'une quête humiliante l'attendait le soir. Il y en avait toujours au moins un comme lui, au refuge. Il passait de table en table, écoutait un peu les discussions, se joignait à la conversation, puis finissait par proposer de s'unir au groupe le lendemain, en sachant bien que personne n'aimait avoir un inconnu dans sa cordée. Sur le moment, cette punition me sembla parfaite pour lui.

Moi aussi, je reçus la mienne cet été-là. Après m'être bien entraîné sur les blocs, je partis avec deux autres grimpeurs faire ma première vraie voie d'escalade. L'un était celui du vin, le fils du collectionneur, un Génois parmi les plus doués de la bande, l'autre un de ses amis qui s'était mis à l'escalade quelques mois auparavant, sans grand enthousiasme ni talent, peut-être simplement pour le suivre. La paroi était si proche de la route que nous n'eûmes qu'à traverser un pré pour rejoindre le point d'attaque, et le surplomb si prononcé que les bêtes venaient s'y abriter de la pluie et du soleil. Nous enfilâmes nos chaussons au milieu des vaches, puis le Génois me remit un baudrier et un mousqueton, nous attacha chacun à une extrémité de la corde, lui au milieu, et sans trop de cérémonies dit à l'autre de l'assurer et partit.

Il grimpait tout en légèreté et en souplesse, donnant l'impression de ne rien peser et que ses gestes ne lui coûtaient aucun effort. Il n'avait pas besoin de tâter de tous les côtés pour trouver les prises, il y allait à coup sûr, décrochait de temps en temps une dégaine du baudrier, l'attachait à l'un des pitons qui signalaient la voie, passait la corde dans le mousqueton ; puis plongeait la main dans le sac de magnésite, se soufflait sur les doigts et recommençait à grimper comme si de rien n'était. Son ascension était très élégante à voir. Élégance, grâce, légèreté, autant de qualités que j'aurais bien aimé qu'il me transmette.

Son ami n'en possédait aucune. Je le voyais faire de près, en montant, parce que arrivé au relais le Génois nous avait crié de grimper ensemble, l'un derrière l'autre. Au bout de quelques prises, je finis par rattraper les mètres de distance qui nous séparaient, me retrouvant avec ce compagnon juste au-dessus de moi. Comme je me prenais la tête dans ses pieds, je devais souvent m'arrêter, et me tournais alors pour regarder le monde dans mon dos :

le jaune des champs à la fin août, le fleuve qui scin-
tillait sous le soleil, les voitures déjà petites sur la
régionale. Le vide ne me faisait pas peur. Loin de la
terre, dans les airs, j'étais bien, et les mouvements de
l'escalade venaient naturellement à mon corps, ils lui
demandaient de la concentration, certes, mais pas de
muscles ni de souffle.

Mon compagnon, au contraire, se servait trop
de ses bras et pas assez de ses pieds. Il restait collé
à la paroi, ce qui l'obligeait à chercher les prises à
l'aveugle, et il ne se gênait pas pour se cramponner
aux dégaines quand il en trouvait.

« Tu peux pas faire ça ! » lui dis-je, à tort. J'aurais
dû le laisser faire comme bon lui semblait.

Il me regarda, agacé, et me dit : « C'est quoi ton
problème ? Tu veux me dépasser, tu supportes pas
d'être en bas ? »

Je devins alors son adversaire. Le relais atteint, il
dit à l'autre : « Pietro est pressé, il se croit dans une
course. » Moi, je ne dis pas : ton copain est un gui-
gnol qui se retient aux dégaines. Je savais que cette
histoire se terminerait en deux contre un. Je gardai
mes distances, mais l'autre n'en démordait pas, il
me provoquait constamment, et mon esprit de com-
pétition leur fit la journée. Dans leurs blagues, je lui
courais après, lui collais aux semelles, si bien qu'il
devait envoyer des coups de pied pour m'empêcher
de monter et que je lui lâche la jambe. Le fils du collectionneur riait. Quand j'arrivai au dernier relais, il

me dit : « Tu te débrouilles pas mal. Ça te dirait de monter en tête ?

— D'accord », répondis-je. En réalité, je voulais surtout en finir au plus vite pour avoir la paix. J'étais déjà assuré et avais toutes les dégaines avec moi, nous n'avions même pas à faire les manœuvres habituelles pour nous relayer, aussi je levai les yeux, vis un piton planté dans une fissure et me lançai.

Trouver la voie, c'est facile quand on a la corde qui nous pend au nez. Lorsqu'on l'a sous les pieds, par contre, c'est une autre paire de manches. Le point d'ancrage auquel je fixai mon premier mousqueton était un vieil assurage avec un anneau, pas une des plaquettes en acier qui brillaient le long de la paroi. Je décidai de ne pas me formaliser et continuai de remonter la fissure, parce que j'avançais bien. Mais plus haut, celle-ci commença à s'affiner au point de disparaître entre mes mains. Au-dessus de moi, un surplomb noir et humide me bouchait la vue, et je n'avais aucune idée de comment le surmonter.

« Où je vais ? criai-je.

— Je ne vois rien d'ici, me cria le Génois. Il y a des clous ? »

Non, il n'y avait pas de clous. Je me cramponnai au dernier pan de la fissure et pivotai à gauche et à droite pour voir si j'en trouvais. Je découvris alors que j'avais fait fausse route : la file de plaquettes en acier partait en diagonale quelques mètres plus à droite, contournant le toit pour atteindre le sommet.

« Je me suis trompé de voie ! m'exclamai-je.

— Ah bon ? me cria-t-il en réponse. Et comment c'est, là-haut, t'arrives à traverser ?

— Non, c'est tout lisse.

— Dans ce cas, t'as pas le choix, il va falloir que tu descendes. » Je ne les voyais pas mais, à les entendre, ils s'amusaient bien, en bas.

Je n'avais jamais désescaladé. Cette même fissure que j'avais remontée me sembla impossible vue d'en haut. Je m'agrippai avec plus de force encore, et me rendis compte que mon piton en fer rouillé était quatre ou cinq mètres plus bas. Une de mes jambes commença à trembler : un tressautement incontrôlable qui partait du genou et allait jusqu'au talon. Mon pied ne répondait plus. Mes mains aussi devenaient moites, et la roche semblait glisser sous mes doigts.

« Je tombe, criai-je. Tiens-moi ! »

Et je lâchai prise. Il n'y a rien de grave en soi à dévisser d'une dizaine de mètres, à condition de savoir tomber : en repoussant la paroi et en amortissant le choc avec les jambes. Personne ne me l'avait appris, à moi, et je descendis comme une flèche, m'écorchant à la paroi à trop vouloir me retenir. Arrivé en bas, je sentis un élancement partir de l'aine. Mais cette douleur était une aubaine, c'était le signe que quelqu'un avait bloqué la corde. Ils ne riaient plus, tout à coup.

Nous finîmes par atteindre le sommet de la paroi, et ce fut étrange, à ce moment-là, de se retrouver au milieu des pâturages. Avec un fil tiré à deux pas du précipice, les vaches au pré, un alpage à demi effondré, un chien qui aboyait. Nous nous assîmes par terre. J'étais sous le choc et j'avais mal, j'étais couvert de sang, et il faut croire que mes amis se sentaient coupables pour que l'un d'eux me demande : « T'es sûr que ça va aller ?

— Mais oui.

— Tu veux une cigarette ?

— Merci. »

Je décidai que c'était la dernière que nous partagerions. Je la fumai allongé dans l'herbe, en regardant le ciel. Ils me dirent encore quelque chose mais déjà je ne les écoutais plus.

Comme tous les étés le temps changea vers la fin du mois. Il pleuvait et il faisait froid et c'était la montagne elle-même qui incitait à descendre dans la vallée, goûter à la tiédeur de septembre. Mon père était reparti. Ma mère recommença à allumer le poêle ; pendant les brèves éclaircies, j'allais chercher du bois dans la forêt, en tirant sur les branches mortes des mélèzes qui se brisaient aussi sec. Je me sentais bien, à Grana, mais cette année-là je bouillais d'impatience de retrouver la ville. Je sentais que j'avais mille choses à y découvrir, autant de rencontres à y faire, et que l'avenir proche me réservait d'importants changements ; je vivais ces derniers jours en sachant qu'ils l'étaient à plus d'un titre, comme déjà un souvenir de la montagne. J'aimais l'idée qu'ils s'écoulent ainsi : ma mère et moi de nouveau seuls, le feu qui crépitait dans la cuisine, le froid matinal, les heures passées à lire et à flâner dans les bois. Il n'y avait pas de blocs à escalader à Grana, mais je vis que je pouvais m'entraîner sur les murs des baite. Je montais et descendais méthodiquement sur les angles, évitant les prises trop faciles et essayant de me tenir aux encoches les plus fines rien que du bout des doigts. Je traversais ensuite d'un côté à l'autre, puis retour. J'ai dû escalader comme ça toutes les ruines du village.

Un dimanche le ciel s'éclaircit à nouveau. Nous étions en train de prendre le petit déjeuner quand quelqu'un frappa à la porte. C'était Bruno. Il se tenait là, sur le balcon, et souriait.

« Eh Berio, dit-il, tu viens en montagne ? »

Sans préambule, il me raconta que son oncle avait eu l'idée de prendre des chèvres. Il les laissait paître librement sur la montagne en face de l'alpage, comme ça il n'avait rien d'autre à faire que les observer le soir avec ses jumelles, en contrôlant qu'elles étaient toutes là et qu'elles ne s'éloignaient pas du périmètre où il pouvait les voir. Sauf que ces dernières nuits il avait neigé là-haut, et l'oncle ne les trouvait plus. À tous les coups elles s'étaient réfugiées dans un trou, à moins qu'elles aient filé derrière un troupeau de bouquetins qui passait par là. Bruno en parlait comme d'une autre mauvaise combine de son oncle.

Il possédait une moto maintenant, une vieille ferraille sans plaque avec laquelle nous fîmes tout le chemin jusqu'à l'alpage, esquivant les branches basses des mélèzes et nous couvrant de boue à chaque flaque. J'aimais m'agripper à son dos, et ça n'avait pas l'air de le gêner. Puis nous partîmes d'un bon pas le long d'un sentier en ligne droite, l'envers des terres de son oncle : l'herbe maigre et caillouteuse était jonchée de crottes de chèvre. En les suivant, nous remontâmes une rive de rhododendrons et des sauts de roche sur lesquels s'écoulait un torrent presque à sec. Puis la neige commença.

Jusqu'à ce jour, je ne connaissais de la montagne qu'une seule saison. Un été bref qui avait des airs de printemps début juillet et d'automne fin août. Mais de l'hiver, je n'avais encore rien vu. Nous en parlions souvent, Bruno et moi, quand nous étions gamins, lorsque mon retour en ville approchait, que je devenais mélancolique et m'imaginais rester vivre là-haut toute l'année avec lui.

« Mais t'as aucune idée de ce que c'est, l'hiver, ici, me disait-il. Il n'y a que de la neige.

— J'aimerais bien la voir », répondais-je.

Et voilà que je l'avais soudain devant moi. Cette neige n'avait rien à voir avec celle, glacée, des grands couloirs à trois mille mètres d'altitude : elle était fraîche, douce, entrait dans nos chaussures et mouillait nos pieds, et c'était drôle de les lever et de trouver, écrasées dans nos empreintes, les fleurs d'août. Elle nous arrivait à peine à la cheville mais c'était assez pour effacer toute trace du sentier. Elle couvrait les arbustes, les trous et les pierres, si bien que chaque pas pouvait cacher un piège, et moi qui ne savais pas marcher dans la neige, je me bornais à suivre Bruno, posant chaque pied là où il avait posé le sien. Encore une fois, je ne comprenais pas quel instinct ou quel souvenir le guidait. Je le suivais, c'est tout.

Nous atteignîmes la crête qui donnait sur l'autre versant et, dès que le vent tourna, il nous porta le son des cloches. Les chèvres étaient allées se réfugier en contrebas sous les premiers rochers. La descente se fit sans problème. Elles étaient pelotonnées en petits groupes de trois ou quatre, les mères entourées de leurs cabris, là où la neige avait fondu. Bruno les compta et vit qu'aucune ne manquait. Ensauvagées par leur été en montagne, elles étaient moins dociles que les vaches et, sur le chemin du retour, il devait crier pour qu'elles restent groupées, lançait des boules de neige sur celles qui partaient de leur côté, pestait contre son oncle et ses idées de génie. Nous remontâmes jusqu'à la crête, puis descendîmes de nouveau dans la neige au milieu de ce cortège désordonné et assourdissant.

Il devait être midi quand nous retrouvâmes l'herbe sous nos pieds. En une seconde, c'était de nouveau l'été. Les chèvres affamées se dispersèrent dans les prés. Nous poursuivîmes notre chemin au pas de course, non pas parce que nous étions pressés mais parce que nous ne connaissions pas d'autre façon d'aller en montagne, et que la descente nous avait toujours rendus euphoriques.

Quand nous arrivâmes à sa moto, Bruno me dit : « Je t'ai vu escalader. Tu te débrouilles bien.

— J'ai commencé cet été.

— Et t'aimes ça ?

— Oui, beaucoup.

— Autant que le jeu du torrent ? »

Je m'esclaffai : « Non, pas à ce point !

— Moi cet été j'ai construit un mur.

— Où ça ?

— Plus haut, en montagne, dans une étable. Elle tombait en ruine et on a dû refaire tout le mur. Mais comme il n'y avait pas de route, je faisais des allers-retours avec la moto. On a dû travailler à l'ancienne : à la pelle, au seau et à la pioche.

— Et ça t'a plu ?

— Oui, dit-il, après un temps de réflexion. Le travail, oui. C'est pas facile de construire un mur comme ça. »

Quelque chose lui avait moins plu, mais il ne me dit pas quoi et je ne le lui demandai pas. Je ne lui demandai pas non plus comment allait son père, ni combien d'argent il gagnait, ni s'il avait une copine ou des projets pour l'avenir, et encore moins ce qu'il pensait de ce qui s'était passé entre nous. Et lui non plus. Il ne demanda des nouvelles ni de moi ni de mes parents, et je ne lui répondis pas : ma mère va bien, mon père est toujours fâché contre moi. Tant de choses ont changé cet été. Je croyais m'être fait des amis, mais je me trompais. J'ai embrassé deux filles la même soirée.

Au lieu de ça je lui dis que je comptais rentrer à Grana à pied.

« T'es sûr ?

— Oui, je pars demain, et j'ai envie de marcher.

— T'as bien raison. Alors ciao. »

C'était mon rituel de fin d'été : un dernier tour en solo pour faire mes adieux à la montagne. Je regardai Bruno enfourcher sa moto et la démarrer après quelques ratés, dans une pétarade et un nuage de fumée qui sortait du pot d'échappement. Il avait un certain style, en motard. Il leva une main pour me saluer et mit les gaz. Je lui rendis son salut même s'il ne me regardait déjà plus.

Je ne pouvais pas le savoir, mais nous allions nous perdre de vue pendant des années. L'été d'après serait celui de mes dix-sept ans, et je ne rentrerais que quelques jours à Grana, puis ne reviendrais plus du tout. L'avenir m'éloignait de cette montagne d'enfance, c'était triste, et beau, et inévitable, et de ça, oui, je me rendais déjà compte. Quand Bruno et sa moto disparurent au coin du bois, je me tournai vers la pente que nous venions de dévaler et, avant de partir, restai un moment à observer la longue trace que nous avions laissée dans la neige.

DEUXIÈME PARTIE

La maison de la réconciliation

V

Mon père mourut à soixante-deux ans, j'en avais trente et un. Il me fallut attendre l'enterrement pour me rendre compte que j'avais l'âge qu'il avait à ma naissance. Mes trente et une années ressemblaient pourtant bien peu aux siennes : je n'étais pas marié, je n'étais pas entré à l'usine, je n'avais pas fait d'enfant, et ma vie me semblait encore à moitié celle d'un homme, à moitié celle d'un garçon. J'habitais seul dans un studio et c'était un luxe que j'avais de la peine à me permettre. J'aurais bien voulu gagner ma vie en tournant des documentaires, mais pour payer mon loyer j'acceptais toutes sortes de petits boulots. Moi aussi j'étais un émigré : j'avais hérité de mes parents l'idée qu'il fallait quitter son berceau pour finir de grandir ailleurs, et c'est ainsi qu'à vingt-trois ans, frais émoulu de mon service militaire, j'étais parti retrouver une fille à Turin. L'histoire avec la fille n'avait pas duré, celle avec la ville, si. Au milieu de ses vieux fleuves et de ses vieux cafés sous les arcades, je m'étais tout de suite senti à l'aise. Je lisais Hemingway, à l'époque, flânais sans un sou en poche et tâchais de rester ouvert aux rencontres, aux propositions de travail et aux possibles, avec la montagne comme toile de fond de mon *Paris est une fête*. Même si je n'y avais plus remis les pieds, la voir à l'horizon quand je sortais de chez moi me paraissait une bénédiction.

Cent vingt kilomètres de champs et de rizières me séparaient désormais de mon père. Autant dire rien, si tant est qu'on veuille les faire. Quelques années plus tôt, je lui avais causé une dernière grande déception en abandonnant l'université – moi qui en mathématiques avais toujours eu les meilleures notes, lui qui avait toujours projeté pour moi un avenir similaire au sien. Mon père me dit que je gâchais ma vie, je lui répondis que c'était lui qui avait gâché la sienne. Nous ne nous parlâmes plus pendant une année entière, celle de mes allers-retours de soldat en caserne, et quand ils me donnèrent mon congé, je partis presque sans le saluer. Il valait mieux pour lui comme pour moi que je trace ma route, que je m'invente ailleurs une vie différente de la sienne ; et quand nous nous retrouvâmes à des kilomètres l'un de l'autre, aucun des deux ne fit plus rien pour combler la distance qui nous séparait.

Avec ma mère, c'était différent. Comme je n'étais pas très bavard au téléphone, elle eut l'idée de m'écrire des lettres. Et fut surprise de voir que je répondais. J'aimais m'asseoir à ma table le soir, prendre une feuille et un stylo et lui raconter ce qui m'arrivait. C'est par lettre que je lui annonçai ma décision de m'inscrire à une école de cinéma. Mes premiers amis à Turin, c'est là-bas que je me les fis. Le documentaire me fascinait, je me sentais voué à observer et écouter, et qu'elle me réponde *Oui, tu as toujours été doué pour ça* me confortait dans cette idée. Je savais qu'il me faudrait attendre longtemps avant de pouvoir en faire mon métier, mais ma mère m'encouragea dès le début. Pendant des années, elle me versa de l'argent, et en contrepartie je lui envoyai tout ce que je faisais, portraits de gens et de lieux, explorations de la ville, courts-métrages que nul ne voyait mais qui faisaient ma fierté. J'aimais la forme que commençait à prendre ma vie. C'est ce que je lui écrivais quand elle me demandait si j'étais heureux. J'évitais de répondre aux autres questions – celles sur les filles, avec qui ça ne durait jamais plus de quelques mois, parce que je me défilais dès que les choses devenaient sérieuses.

Et toi ? écrivais-je.

Moi ça va, mais papa travaille trop, il se ruine la santé, répondait ma mère. Elle me parlait surtout de lui. L'usine périclitait et mon père, après trente années de service, au lieu de laisser tomber et d'attendre la retraite, avait mis les bouchées doubles. Il voyageait beaucoup en voiture, roulant seul sur des centaines de kilomètres d'un site à l'autre, rentrait à la maison exténué et s'écroulait dans son lit tout de suite après le repas. Son sommeil était de courte durée : la nuit, il se levait et se remettait à l'ouvrage, de toute façon ses soucis l'empêchaient de fermer l'œil, mais à en croire ma mère l'usine n'était pas sa seule préoccupation. *Il a toujours été quelqu'un d'angoissé, mais là, ça devient maladif.* Il angoissait pour le travail, pour la vieillesse qui approchait, pour ma mère dès qu'elle avait le moindre rhume, et aussi pour moi. Il se réveillait en sursaut, convaincu qu'il m'était arrivé malheur. Il lui demandait alors de m'appeler, quitte à me sortir du lit ; elle le persuadait d'attendre quelques heures et faisait son possible pour le tranquilliser, le faire dormir, le faire ralentir. Son corps lui avait bien envoyé quelques signaux déjà, mais il ne savait pas vivre autrement que comme ça, en état d'alerte : l'obliger à se calmer, c'était comme le forcer à aller en montagne *moins vite*, en profitant de l'air pur et sans courir après personne.

Dans l'homme que je découvrais à travers les lettres de ma mère, il y avait le père que je connaissais, mais aussi un autre, qui m'intriguait. Je me rappelai la fragilité que j'avais entrevue chez lui, certains moments de désarroi qu'il s'empressait de cacher. Quand je me penchais au-dessus d'une falaise et qu'il me retenait aussitôt par la ceinture. Quand je me sentais mal sur le glacier et qu'il était plus agité que moi. Je me dis que cet autre père, je l'avais toujours eu à mes côtés mais ne l'avais jamais remarqué parce que le premier prenait toute la place, et je me mis à penser qu'un jour je devrais, ou pourrais, lui donner une seconde chance.

Mais ce jour partit en fumée, et avec lui toutes les possibilités qu'il renfermait. Un soir de mars 2004 ma mère m'appela pour me dire que mon père avait fait un infarctus sur l'autoroute. On l'avait trouvé sur une bande d'arrêt d'urgence. Il n'avait pas provoqué d'accident, il avait même réussi à faire les choses dans l'ordre : il avait mis ses feux de détresse, avait freiné et s'était garé sur le bas-côté comme s'il avait crevé un pneu ou était tombé en panne. Sauf que c'était son cœur qui avait lâché. Trop de kilomètres au compteur, pas assez d'entretien. Mon père avait dû ressentir une forte douleur à la poitrine et comprendre à temps quel était le pépin. Sur la bande d'arrêt, il avait coupé le moteur. N'avait même pas détaché sa ceinture. Était resté assis droit sur son siège, et c'est dans cette posture qu'il avait été trouvé, comme un pilote qui aurait abandonné la course, une fin des plus grotesques pour quelqu'un comme lui : avec les mains sur le volant et tous les autres qui le dépassaient.

Ce printemps-là, je revins passer quelques semaines à Milan chez ma mère. Au-delà des formalités que nous devions régler, je sentais le besoin de passer un peu de temps avec elle. Après les jours agités qui avaient précédé l'enterrement, dans la période de calme qui suivit, nous découvrîmes, à ma grande surprise, que mon père avait pensé à sa mort, et pas qu'un peu. Dans son tiroir, il avait laissé une liste d'instructions avec ses coordonnées bancaires et tout ce que ma mère et moi devions faire pour

121

entrer en possession de ses biens. Étant donné que nous étions ses seuls héritiers, il n'avait pas eu besoin de faire un testament en bonne et due forme. Mais sur cette même feuille il avait écrit qu'il laissait à ma mère la moitié de l'appartement à Milan, et pour moi il y avait : *j'aimerais que Pietro ait* la « propriété de Grana ». Pas d'épitaphe, ni même une ligne d'adieu, tout était froid, et pratique et notarial.

De cet héritage, ma mère ne savait presque rien. Nous nous imaginons souvent que nos parents se disent tout ce qui leur passe par la tête, surtout quand ils commencent à vieillir, mais ces jours-là je découvrais de plus en plus qu'après mon départ tous deux avaient mené à bien des égards des vies séparées : lui travaillait et il était toujours sur les routes ; elle avait pris sa retraite, faisait du bénévolat comme infirmière dans un dispensaire pour migrants, donnait un coup de main aux cours de préparation à l'accouchement et passait plus de temps avec ses amies qu'avec mon père. Elle savait seulement que mon père avait acheté un morceau de terrain en montagne pour une bouchée de pain, l'année précédente. Il ne lui avait pas demandé son autorisation avant de dépenser cette somme ni ne l'avait invitée à venir voir l'endroit – il y avait bien longtemps qu'ils n'allaient plus marcher ensemble – et elle n'avait pas protesté, considérant que ça ne la regardait pas.

En fouillant les papiers de mon père, je trouvai l'acte de vente et un plan cadastral, lesquels ne m'aidèrent pas plus que ça. Il y avait une bâtisse agricole de quatre mètres sur sept au milieu d'un terrain de forme irrégulière. La carte était trop petite pour situer l'endroit, et trop différente de celles auxquelles j'étais habitué : elle ne reportait pas l'altitude ou les sentiers mais seulement les propriétés, et même en la regardant bien je n'arrivais pas à savoir s'il y avait des bois, des prés ou quoi que ce soit d'autre à côté. Ma mère dit :

« Bruno saura peut-être te dire où elle est.

— Bruno ?

— Ils marchaient toujours ensemble.

— Je ne savais pas que vous l'aviez revu.

— Évidemment qu'on l'a revu. C'est un peu difficile de ne pas se revoir à Grana, tu ne crois pas ?

— Et qu'est-ce qu'il fait ? » demandai-je, même si en réalité je voulais dire : et comment il va ? Il se souvient de moi ? A-t-il pensé à moi pendant toutes ces années autant que j'ai pensé à lui ? Mais j'avais appris à poser les questions des adultes, en demandant une chose pour en savoir une autre.

« Il est maçon, répondit ma mère.

— Il n'est jamais parti ?

— Bruno ? Mais où veux-tu qu'il aille ? À Grana, tu verras, il n'y a pas grand-chose qui a changé. »

J'hésitais à la croire, parce que j'avais changé depuis le temps. Un lieu que l'on a aimé enfant peut paraître complètement différent à des yeux d'adulte et se révéler une déception, à moins qu'il ne nous rappelle celui que l'on n'est plus, et nous colle une profonde tristesse. Je n'avais pas tant envie que ça de le savoir, je dois dire. Mais il y avait cette propriété qui me revenait et la curiosité fut la plus forte. Fin avril, je montai seul à Grana, dans la voiture de mon père. C'était le soir et en remontant la vallée je ne pouvais voir que le périmètre qu'éclairaient mes phares. Je notais quand même bien des changements : les endroits où la route avait été refaite et élargie, les filets de protection au-dessus des escarpements, les troncs abattus en tas. Quelqu'un s'était mis à construire de petites villas d'inspiration tyrolienne et un autre à extraire le sable et le gravier du fleuve, lequel se retrouvait contenu entre des berges de ciment là où, autrefois, il courait au milieu des rochers et des arbres. Les résidences secondaires plongées dans le noir, les auberges fermées pour la basse saison voire pour toujours, les décapeuses à l'arrêt et les tractopelles avec leur bras planté contre terre donnaient aux villages un air de décadence industrielle, comme ces chantiers restés en plan pour cause de faillite.

Je me laissais peu à peu miner par ces découvertes quand quelque chose attira mon attention, et je penchai la tête sous le pare-brise pour regarder plus haut. Dans le ciel nocturne, des formes blanches renvoyaient comme de la lumière. Je mis un moment avant de comprendre que ce n'étaient pas des nuages mais les montagnes encore enneigées. J'aurais dû m'y attendre, en avril. Mais en ville le printemps était bien avancé et je n'étais plus habitué à reculer dans les saisons en prenant de l'altitude. La neige des cimes me consola des misères du fond de la vallée.

Je me rendis compte dans la seconde que je venais de refaire un geste typique de mon père. Combien de fois l'avais-je vu en voiture se pencher en avant et lever les yeux vers le ciel ? Pour contrôler la météo ou étudier le versant d'une montagne ou en admirer simplement le profil au passage. Il posait les mains sur le haut du volant et s'appuyait la tempe dessus. Et je répétai encore ce geste, mais en m'appliquant cette fois, en me mettant dans la peau de mon père à quarante ans ; il venait à peine d'entrer dans la vallée, avec une femme assise à côté et un fils sur la banquette arrière, à la recherche d'un endroit qui irait pour les trois. J'imaginai mon fils qui dormait. Ma femme m'indiquait les villages et les maisons et je faisais semblant de l'écouter. Mais dès qu'elle avait la tête tournée, je me penchais et levais les yeux, obéissant à l'irrésistible appel des sommets. Plus ils étaient imposants et menaçants, et plus ils me plaisaient. La neige, là-haut, valait toutes les promesses. Oui, peut-être que sur cette montagne il y aurait un endroit qui serait bien pour nous.

La petite route qui menait à Grana avait été goudronnée, mais pour le reste ma mère avait raison, rien ne semblait avoir changé. Les ruines étaient toujours là, tout comme les étables, les granges et les tas de fumier. Je garai la voiture là où je me rappelais, et entrai à pied dans le village plongé dans le noir. Guidé par le grondement de l'abreuvoir, je retrouvai dans l'obscurité les marches de l'escalier, la porte de la maison, la grosse clé en fer dans la serrure. À l'intérieur, une odeur familière d'humidité et de fumée m'accueillit. Dans la cuisine, j'ouvris le poêle et trouvai un petit tas de braises encore incandescentes ; j'y jetai le bois sec posé à côté, puis soufflai jusqu'à ce que le feu reprenne.

Même les tord-boyaux de mon père étaient là où ils avaient toujours été. Il avait l'habitude d'acheter une grosse bouteille de grappa pure qu'il aromatisait dans des bocaux plus petits, avec les baies, les pignons et les herbes qu'il trouvait en montagne. Je choisis un bocal au hasard et me versai deux doigts d'eau-de-vie, histoire de me réchauffer un peu. Elle était horriblement amère, de la gentiane peut-être, et je m'assis à côté du poêle, mon verre à la main, me roulai une cigarette, puis attendis que les souvenirs remontent à la surface en fumant et en regardant la vieille cuisine autour de moi.

Ma mère avait fait du beau travail en vingt ans : partout où je posais les yeux, elle avait laissé sa marque, celle d'une femme qui avait les idées claires sur ce qui rend une maison accueillante. Elle avait toujours adoré les cuillères en bois et les casseroles en cuivre, et détesté les rideaux qui empêchaient de regarder au-dehors. Sur le rebord de sa fenêtre préférée, elle avait mis un bouquet de fleurs séchées dans une cruche, la petite radio qu'elle écoutait à longueur de journée et une photo de moi et Bruno où nous étions assis dos à dos sur une souche de mélèze, sans

126

doute à l'alpage de son oncle, avec nos bras croisés sur le torse et des airs de durs. Je ne me souvenais pas du moment où elle avait été prise, ni du photographe, mais nous portions les mêmes vêtements, prenions la même pose ridicule et n'importe qui y aurait vu le portrait de deux jeunes frères. Je pensai moi aussi que c'était une belle photo. Je finis ma cigarette et jetai le mégot dans le feu. Je pris le verre vide et allais pour le remplir quand je vis la carte de mon père, toujours épinglée au mur mais bien différente de celle de mes souvenirs.

Je m'approchai pour l'observer plus en détail. J'eus aussitôt la nette sensation que tout en restant ce qu'elle était – la carte des sentiers de la vallée – elle était devenue quelque chose d'autre, quelque chose comme un roman. Ou peut-être même une biographie. Après vingt années passées à marcher, il n'y avait pas un sommet, pas un alpage, pas un refuge où le feutre de mon père n'était allé, et l'entrelacs des parcours formait un filet si resserré que seul lui pouvait déchiffrer ce plan. Mais il n'y avait pas que du noir. Le trait était parfois doublé de rouge, parfois de vert. D'autres fois encore, le noir, le rouge et le vert allaient tous les trois ensemble, même si la plupart du temps le noir traçait tout seul des boucles interminables. Il devait forcément y avoir un code, et je restai devant à tenter de le décrypter.

Après un moment de réflexion, j'eus l'impression de me retrouver devant une de ces énigmes que mon père me posait quand j'étais petit. J'allai remplir mon verre et retournai observer la carte. Si c'était un problème de cryptographie comme ceux que j'avais étudiés à l'université, il me fallait d'abord chercher la récurrence la plus fréquente et la plus rare : la plus fréquente, c'était le noir tout seul, la plus rare, les trois couleurs ensemble. Ce sont elles qui m'aidèrent à trouver la clé, parce que je me rappelais très bien l'endroit où nous nous étions retrouvés bloqués sur le glacier, mon père, Bruno et moi. Le rouge et le vert finissaient à ce point précis, alors que le noir continuait. Je sus ainsi que mon père était revenu terminer l'ascension. Le noir, c'était forcément lui. Le rouge l'accompagnait de quatre mille en quatre mille, ce ne pouvait donc être que moi. Et le vert, par exclusion, c'était Bruno. Ma mère me l'avait bien dit, qu'ils allaient marcher ensemble. Je vis qu'il y en avait beaucoup, des sentiers noir et vert, peut-être même plus que des noir et rouge, et j'en fus un peu jaloux. Mais pas moins soulagé quand même de voir que pendant toutes ces années mon père n'était pas allé seul en montagne. L'idée me vint alors que cette carte épinglée au mur pouvait, par quelque moyen détourné, être un message qu'il m'adressait.

Plus tard, j'entrai dans mon ancienne chambre, mais elle était trop froide pour y passer la nuit. Je sortis le matelas du lit, le posai dans la cuisine et étalai mon sac de couchage dessus. Je gardai ma grappa et mon tabac à portée de main. Avant d'éteindre la lumière, je remplis le poêle de bois, et restai longtemps éveillé dans le noir à l'écouter brûler.

Bruno vint me chercher au petit matin. C'était un homme que je ne connaissais plus mais qui renfermait quelque part en lui un petit garçon que je connaissais bien.

« Merci pour le feu, lui dis-je.

— Il n'y a pas de quoi », dit-il.

Il me serra la main sur le balcon et prononça une de ces phrases rituelles auxquelles j'avais dû m'habituer ces deux derniers mois et que je n'écoutais plus. De vieux amis s'en seraient passés, mais qui aurait pu dire ce que nous étions désormais, Bruno et moi. Je trouvai en revanche plus franche la poignée de sa main droite, qui était sèche, rêche, calleuse, et avait quelque chose d'inhabituel que je ne m'expliquais pas. Il remarqua ma gêne et la leva pour me la montrer : c'était une main de maçon dont les dernières phalanges de l'index et du majeur manquaient.

« T'as vu ça ? dit-il. Un jour, j'ai voulu faire le malin avec le fusil de mon grand-père. Je voulais tirer sur un renard, et bam, j'y ai laissé mes doigts.

— Il t'a explosé dans les mains ?

— Pas vraiment. Problème de gâchette.

— Aïe, dis-je, ça a dû faire un de ces mal… »

Bruno haussa les épaules, comme pour dire qu'il y avait pire dans la vie. Il regarda mon menton et me demanda : « Tu la rases jamais, ta barbe ?

— Ça doit faire dix ans, répondis-je, en la caressant.

— Une fois, j'ai essayé de la laisser pousser, moi aussi. Mais j'avais une copine, et tu sais comment c'est.

— Elle n'aimait pas ?

— Pas du tout ! Toi, par contre, ça te va bien, on dirait ton père. »

Il sourit en le disant. Comme nous faisions tout notre possible pour briser la glace, je m'efforçai de ne pas m'arrêter sur le sens de sa phrase et lui rendis son sourire. Puis fermai la porte et partis avec lui.

Le ciel dans le vallon était bas et chargé des nuages du printemps. On aurait dit qu'il venait tout juste d'arrêter de pleuvoir, et que ça pouvait reprendre d'une seconde à l'autre. Même la fumée avait de la peine à s'élever au-dessus des cheminées : elle glissait le long des toits humides, partait en volutes dans les gouttières. Dans cette lumière froide, au sortir du village, je retrouvai chaque baraque, chaque poulailler, chaque tas de bois, comme si personne n'avait plus touché à rien depuis que j'étais parti. Ce qui par contre avait changé du tout au tout, je ne tardai pas à le voir, après les dernières maisons. En contrebas, la grève du torrent était deux fois plus large que dans mes souvenirs. À croire qu'une charrue gigantesque l'avait retourné de frais. Il coulait entre de larges bandes de cailloux qui lui donnaient un air exsangue, même en plein dégel.

« T'as vu ? dit Bruno.

— Qu'est-ce qui s'est passé ?

— L'inondation de 2000, t'as déjà oublié ? Il y a eu tellement d'eau qu'on a dû nous évacuer en hélicoptère. »

Un excavateur s'affairait plus bas. Où étais-je, moi, cette année-là ? Si loin, physiquement et mentalement, que je n'avais même pas su pour l'inondation de Grana. Le torrent était encore encombré de troncs d'arbres, de poutres, de blocs de ciment, de débris de toutes sortes qui avaient été charriés jusqu'au pied de la montagne. À ses boucles, les berges érodées laissaient voir les racines des arbres, qui se projetaient à la recherche de la terre qui s'était dérobée. Notre vieux petit fleuve me fit bien de la peine.

Mais un peu plus haut, non loin du moulin, je remarquai une grande pierre blanche, plate, en forme de roue, échouée dans l'eau, qui me remonta le moral.

« Elle aussi, c'est l'inondation qui l'a emportée ?

— Eh non, dit Bruno, elle, je l'ai balancée avant.

— Quand ça ?

— Pour fêter mes dix-huit ans.

— Et comment t'as fait ton affaire ?

— Avec le cric de ma voiture. »

Je ne pus retenir un sourire, imaginant Bruno qui entrait dans le moulin armé de son cric, et en moins de deux la meule qui sortait par la porte et commençait à dégringoler la pente. J'aurais aimé être là pour voir ça.

« Et c'était beau ? demandai-je.

— Magnifique. »

Bruno sourit à son tour. Puis nous nous mîmes en marche en direction de ma propriété.

Nous montâmes beaucoup plus lentement qu'autrefois, parce que j'étais loin d'être en forme et que le soir d'avant j'avais fini par boire de trop. En traversant le vallon dévasté par les eaux, les pâturages le long de la rive réduits à des étendues de sable et de cailloux, Bruno devait constamment se retourner, s'étonner de me voir si loin derrière, s'arrêter pour m'attendre. Entre deux quintes de toux, je lui dis : « Vas-y si tu veux. Je te rejoins.

— Non, non », dit-il, comme s'il se sentait investi d'une mission précise et qu'il devait la mener à bien.

L'alpage de son oncle avait lui aussi connu des jours meilleurs. Quand nous arrivâmes à sa hauteur, je vis que le toit d'une des baite s'était effondré, ployant vers l'extérieur le mur qui soutenait les poutres. Visiblement, une bonne chute de neige aurait suffi à lui donner le coup de grâce. La baignoire renversée restait à rouiller à l'extérieur de l'étable, et les portes avaient été sorties de leurs gonds et jetées contre les murs. Comme dans la prophétie de Luigi Guglielmina, les premiers petits mélèzes pointaient de toutes parts. Qui sait combien d'années il leur avait fallu pour pousser, et qui sait ce qui était arrivé à l'oncle. J'aurais voulu le demander à Bruno mais il ne s'arrêta pas ; nous dépassâmes l'alpage et continuâmes notre chemin sans un mot.

Derrière les baite, l'inondation avait porté le coup le plus grave. En contre-haut, là où les vaches montaient au plus chaud de la saison, la pluie avait emporté tout un pan de montagne. Le glissement de terrain avait entraîné avec lui arbres et rochers, un charriage de matériel instable qui, même quatre ans après, se dérobait sous nos pieds. Bruno continuait d'avancer sans un mot. Il ouvrait la voie, enfonçant ses chaussures dans la boue, sautant de bloc en bloc ou marchant en équilibre sur les troncs tombés, et il ne se retournait pas. Quand l'éboulis fut derrière nous, que le bois nous accueillit de nouveau, il retrouva enfin la parole.

« Déjà qu'il ne passait pas grand monde ici, dit-il, maintenant qu'il n'y a plus de sentier, je dois être le seul.

— Tu viens souvent ?

— Oui, le soir.

— Le soir ?

— Quand j'ai envie de faire un tour après le travail. Je prends ma frontale au cas où la nuit tombe.

— Il y en a qui iraient au bar…

— J'y suis bien assez allé, au bar. C'est bon, maintenant, je préfère le bois. »

Je posai la question interdite, celle qu'on ne pouvait poser du temps où on marchait avec mon père : « C'est encore loin ?

— Non, non. Par contre, on va bientôt trouver de la neige. »

Je l'avais déjà remarquée à l'ombre des rochers : de la vieille neige sur laquelle il avait plu et qui se transformait en bouillie. Mais plus haut, quand je relevai la tête, je la vis qui tachait les pierrailles et s'étalait, remplissant les bassins du Grenon. Sur toute la face nord, c'était encore l'hiver. La neige épousait les formes de la montagne comme sur le négatif d'une pellicule, avec le noir des rochers qui se chauffait au soleil et le blanc de la neige qui survivait dans les zones d'ombre. Je me faisais cette réflexion au moment où nous arrivâmes au lac. Comme la première fois, il me prit par surprise.

« Tu te souviens de cet endroit ? dit Bruno.

— Eh oui.

— Ça n'a rien à voir avec l'été, hein ?

— Non. »

Notre lac en avril était encore recouvert d'une couche de glace, d'un blanc opaque veiné de fissures bleues, comme celles qui se forment sur la porcelaine. Il n'y avait pas de sens géométrique dans les fêlures, ni de lignes de fracture compréhensibles. Çà et là, des plaques s'étaient relevées sous les cognées de l'eau, et le long des rives au soleil on voyait déjà les premières nuances de noir, l'été qui commençait.

Mais lorsqu'on embrassait tout le bassin du regard, on croyait voir deux saisons. D'un côté, les pierrailles, les taches de genévriers et de rhododendrons, les rares arbustes de mélèze ; de l'autre, le bois et la neige. Sur ce côté, le sillage d'une avalanche traversait le Grenon et finissait dans le lac. Bruno alla justement dans cette direction. Quittant la rive, nous commençâmes à remonter la pente sous la neige, une croûte gelée qui résistait presque toujours sous nos chaussures, mais cédait parfois d'un coup. Quand elle cédait, nous nous enfoncions jusqu'aux cuisses. À chaque faux pas, nous devions faire des pieds et des mains pour remonter à la surface, et il nous fallut une demi-heure de cette marche boiteuse avant que Bruno ne nous accorde une pause : il trouva un muret en pierre qui dépassait de la neige, monta dessus et secoua ses chaussures en les battant l'une contre l'autre. Moi, je m'assis sans me soucier de mes pieds mouillés. Je n'en pouvais plus. Je ne demandais qu'à retourner devant le poêle, manger et dormir.

« Nous y voilà, dit-il.

— Où ça ?

— Comment ça, où ça ? Chez toi. »

Ce n'est qu'à ce moment-là que je regardai ce qui m'entourait. Même si la neige modifiait les contours, on devinait que la pente formait comme une terrasse boisée. Une paroi de roche lisse, haute, inhabituellement blanche, tombait sur ce plateau tourné vers le lac. De la neige dépassaient les restes de trois murs à sec, taillés dans la même roche blanche, sur l'un desquels j'étais assis. Deux murs brefs et un long devant, quatre par sept, comme disait mon plan cadastral. Le quatrième était la paroi elle-même, celle qui avait fourni le matériau et soutenait les trois autres. Du toit effondré, il ne restait plus rien. Mais à l'intérieur de cette ruine, au milieu de la neige, un petit pin cembro avait trouvé moyen de pousser, il s'était frayé un chemin parmi les débris et arrivait maintenant à la hauteur des murs. Le voilà, mon héritage : une paroi de roche, de la neige, un tas de pierres de taille, un arbre.

« Quand nous sommes tombés sur cet endroit, c'était septembre, dit Bruno. Ton père a tout de suite dit : c'est elle que je veux. On en avait vu tellement, ça faisait un moment que je l'accompagnais dans ses recherches, mais elle, elle lui a plu du premier coup.

— C'était l'année dernière ?

— Non, non. Ça fait trois ans, maintenant. Après, il m'a encore fallu retrouver les propriétaires et les convaincre. Ici, on ne vend jamais rien à personne. Garder une ruine toute sa vie, ça va, mais la céder à quelqu'un d'autre pour qu'il en fasse ce qu'il veut…

— Et lui, qu'est-ce qu'il voulait faire ?

— Une maison, bien sûr.

— Une maison ?

— Si je te le dis.

— Mon père a toujours détesté les maisons.

— Il a dû changer d'avis. »

Pendant que nous parlions, il s'était mis à pleuvoir. Je sentis une goutte sur le dos de ma main et vis que c'était de l'eau mêlée à de la neige. Le ciel aussi semblait balancer entre l'hiver et le printemps. Les nuages cachaient les montagnes et aplatissaient les choses, mais même par un matin pareil, j'arrivais à saisir la beauté de l'endroit. Une beauté sombre, rude, qui n'inspirait pas la sérénité mais la force, et un peu d'angoisse. La beauté de l'envers.

« Il a un nom, cet endroit ? demandai-je.

— Je crois bien, oui. D'après ma mère, on l'appelait la *barma drola* dans le temps. Elle ne se trompe jamais pour ça, les noms, elle se les rappelle tous.

— Barma, c'est le nom de cette roche ?

— Exactement.

— Et drola ?

— Ça veut dire étrange.

— Étrange, parce qu'elle est très blanche ?

— Je pense, oui.

— La roche étrange », dis-je, pour voir comment ça sonnait.

Je restai un moment assis à regarder autour de moi et à réfléchir au sens à donner à cet héritage. Mon père, alors même qu'il avait passé sa vie à fuir les maisons, avait caressé l'idée d'en construire une là-haut. Il n'avait pas réussi à venir au bout de son projet. Mais devant l'éventualité de la mort, il avait pensé me laisser cet endroit. Qui sait ce qu'il attendait de moi.

Bruno dit : « Cet été, je suis libre.

— Libre pour quoi ?

— Pour travailler, non ? »

Et voyant que je ne comprenais toujours pas, il expliqua : « La maison, ton père l'a dessinée comme il la voulait, lui. Et il m'a fait promettre que ce serait moi qui la construirais. Même qu'il était assis exactement là où tu es quand il me l'a demandé. »

Décidément, j'allais de surprise en surprise. La carte des sentiers, le rouge et le vert qui accompagnaient le noir : je me dis que Bruno devait encore en avoir beaucoup, des histoires à me raconter. Pour ce qui est de la maison, si mon père en avait disposé ainsi, je n'avais pas de raison de m'opposer à sa volonté – sauf une.

« Je n'ai pas l'argent pour ça », dis-je. Ce que j'avais reçu de l'héritage avait servi à remettre à flot mes finances désastreuses. Il me restait bien encore un petit pécule, mais ça n'aurait pas suffi pour construire une maison et, de toute façon, j'avais prévu d'en faire autre chose. J'avais un long arriéré de désirs à exaucer.

Bruno acquiesça. Il s'attendait à cette objection et me dit : « Il suffit qu'on achète le matériel. Et même là-dessus, je crois qu'on peut encore économiser.

— Oui, mais qui va te payer ?

— T'inquiète. Faut pas croire que c'est un travail qu'on fait pour l'argent. »

Il ne m'expliqua pas ce qu'il voulait dire, et j'allais pour le lui demander quand il ajouta : « Par contre, un coup de main ne serait pas de refus. Avec un ouvrier, je pourrais boucler le chantier en trois quatre mois. Qu'est-ce que t'en dis, t'es partant ? »

En plaine, j'aurais éclaté de rire. Je lui aurais répondu que je ne savais rien faire de mes mains, et que je ne lui aurais été d'aucune aide. Mais j'étais assis sur un mur planté au milieu de la neige, devant un lac gelé à deux mille mètres d'altitude. J'avais commencé à éprouver un sentiment d'inéluctabilité. Pour des raisons que j'ignorais, c'était là que mon père avait voulu m'amener, sur cette terrasse rincée par les avalanches, sous cette roche étrange, pour travailler sur ce champ de ruines avec cet homme. Et je me dis : d'accord, papa, pose-moi donc encore cette colle, voyons ce que tu as préparé pour moi. Voyons ce qu'il me reste à apprendre.

« Trois ou quatre mois ? demandai-je.

— Mais oui. C'est une maison très simple.

— Et quand penses-tu commencer ?

— Dès que la neige aura fondu », répondit Bruno. Puis il sauta au bas du mur et entreprit de m'expliquer comment il comptait s'y prendre.

VI

La neige ne tarda pas à fondre cette année-là. Je revins à Grana au début du mois de juin, au beau milieu de la saison du dégel, avec l'eau qui gonflait le torrent et dégoulinait de partout, formant des cascades et ruisseaux éphémères que je n'avais encore jamais vus. On aurait cru l'entendre sous les pieds, cette neige qui fondait sur les montagnes et rendait la terre aussi molle que de la mousse jusqu'à mille mètres plus bas. Nous décidâmes d'ignorer la pluie qui n'arrêtait pas de tomber. Un lundi matin, à l'aube, nous prîmes chez Bruno une pelle, une pioche, une grosse cognée, une tronçonneuse et un demi-bidon d'essence, et montâmes avec notre chargement sur le dos à la barma, puisque c'est ainsi que nous avions commencé à appeler ma propriété. Il avait beau être de loin le plus chargé des deux, c'était moi qui devais m'arrêter toutes les dix minutes pour reprendre mon souffle. Je posais mon sac à dos et m'asseyais par terre – tout ce que mon père, dans le temps, m'avait appris à ne pas faire – et nous restions là en silence, évitant de nous regarder, pendant que mon cœur ralentissait.

En haut, la neige avait laissé place à la boue et à l'herbe morte, aussi pouvais-je me faire une meilleure idée de l'état de cette ruine. Les murs semblaient tenir d'aplomb jusqu'à un mètre de hauteur, soutenus par des pierres angulaires que même à deux nous aurions été incapables de déplacer ; mais passé ce premier mètre, le mur le plus long flanchait vers l'extérieur, poussé par les poutres du toit qui étaient tombées, et ceux sur les côtés étaient tout de travers, les dernières rangées de pierres en équilibre instable à hauteur d'homme. Bruno dit que nous allions devoir tout reprendre depuis le début ou presque. Inutile de perdre du temps à redresser des murs tordus : il valait mieux les démolir et les reconstruire de zéro.

Mais avant, il fallait préparer le chantier. À dix heures du matin, nous entrâmes dans le chalet et commençâmes à le débarrasser des débris qui s'étaient entassés à l'intérieur. Il y avait surtout des planchettes en bois, celles qui avaient un temps été les bardeaux du toit, mais aussi des lames de l'ancien plancher qui séparait le rez-de-chaussée du premier étage, et au milieu de ce bois trempé, des poutres longues de six ou sept mètres, encore encastrées dans les murs ou enfoncées dans la terre. Certaines avaient résisté à l'eau et Bruno essayait de voir s'il pouvait en tirer quelque chose. Nous eûmes toutes les peines du monde à dégager le bois récupérable et à le sortir, en le faisant glisser par-dessus les murs sur deux planches inclinées ; le reste était débité et mis à brûler.

À cause de ses doigts coupés, Bruno avait appris à utiliser une tronçonneuse de gaucher. Il bloquait le tronc avec le pied et travaillait à la pointe de la lame, à quelques centimètres de la semelle de sa chaussure, soulevant un nuage de copeaux derrière lui. Un bon parfum de feu de bois se répandait alors dans l'air. Puis la bûche tombait et j'allais la ramasser pour la mettre par-dessus les autres.

La fatigue ne tarda pas à se faire sentir. J'étais encore moins habitué à l'effort des bras qu'à celui des jambes. À midi, nous sortîmes couverts de poussière et de sciure. Sous la grande balme, séchaient quatre beaux troncs de mélèze, abattus l'année d'avant : ils deviendraient tôt ou tard les poutres du nouveau toit, mais en attendant j'en utilisai un pour m'asseoir.

« On n'a pas commencé, dis-je, et je suis déjà fatigué.

— Bien sûr que si, qu'on a commencé, dit Bruno.

— Il nous faudra une semaine rien que pour tout sortir. Et tomber les murs, et faire de la place tout autour.

— Peut-être. On ne peut pas savoir. »

Pendant ce temps, il avait construit un foyer avec des pierres et allumé un petit feu avec des chutes de bois. Tout transpirant que j'étais, c'était aussi pour moi un réconfort de pouvoir sécher devant le feu. Je fouillai dans mes poches, trouvai mon tabac et roulai une cigarette. Je lui tendis mon paquet, et il me dit : « Je ne sais pas faire. Si tu me la roules, je peux essayer. »

Quand je la lui eus allumée, il dut contenir sa toux. Ça se voyait qu'il n'avait pas l'habitude.

« Ça fait longtemps que tu fumes ? demanda-t-il.

— J'ai commencé ici, un été. Je devais avoir, je ne sais pas moi, seize ou dix-sept ans.

— Ah bon ? Je ne t'ai jamais vu avec une cigarette.

— C'est parce que je fumais en cachette. J'allais dans la forêt pour ne pas me faire voir. Ou sur le toit de la maison.

— Et de qui tu devais te cacher ? De ta mère ?

— Je ne sais pas. Je me cachais, c'est tout. »

Bruno tailla en pointe deux bouts de bois avec son canif. Il sortit un morceau de saucisse de son sac, la coupa en tranches, les enfila sur ses brochettes, et les mit à rôtir. Il avait aussi pris du pain, une miche noire dont il fit deux grosses tranches, et m'en tendit une.

Il dit : « Tu sais, l'important, c'est pas le temps que ça prend. Il vaut mieux pas trop penser à l'avenir dans ce métier, autrement on devient fou.

— Alors à quoi je dois penser ?

— À maintenant. Elle est pas belle, cette journée ? »

Je regardai autour de moi. Il fallait une certaine dose de bonne volonté pour la décrire ainsi. C'était une de ces journées de fin de printemps, celles où le vent n'arrête pas de souffler en montagne. Des bancs de nuages allaient et venaient, cachant le soleil, et l'air était encore froid comme si un hiver têtu refusait de quitter le devant de la scène. Le lac en contrebas ressemblait à de la soie noire, avec le vent qui la dentelait. Ou qui, au contraire, faisait tout sauf de la dentelle : il posait une main glacée qui effaçait les plis. J'eus envie de tendre les miennes en direction du feu, et de les y laisser pour lui voler un peu de chaleur.

L'après-midi, nous continuâmes de sortir les décombres et finîmes par découvrir ce qu'ils cachaient : une charpente qui indiquait clairement la nature de l'édifice. D'un côté, contre le mur tout en longueur, nous trouvâmes les mangeoires, et au centre de la pièce une petite fosse qui avait servi à l'écoulement du purin. C'étaient des planches de trois doigts d'épaisseur, polies par le frottement répété des mufles et des sabots. Bruno dit que nous pourrions les laver et nous en servir pour construire autre chose, et avec sa pioche il commença à faire levier pour les soulever. Je vis un objet par terre, et le ramassai. C'était un cône de bois lisse et creux, semblable à la corne d'un animal.

« C'est pour la pierre de la faux, dit Bruno quand je le lui montrai.

— La pierre de la faux ?

— C'est une pierre qui sert à affiler la faux. Elle avait certainement un nom, mais qui se le rappelle encore ? Il faudrait que je demande à ma mère. Je crois que c'est une pierre de fleuve.

— De fleuve ? »

J'avais l'impression d'être un enfant auquel il fallait tout expliquer. Il faisait preuve d'une patience infinie

144

devant mes questions. Il me prit la corne des mains et l'appuya contre sa hanche, puis expliqua : « C'est une pierre polie et ronde, presque noire. Il faut la mouiller pour bien l'utiliser. Ça, tu l'accroches à ta ceinture avec un peu d'eau, pour mouiller la pierre et passer le fil de temps en temps quand tu fauches : comme ça. »

Avec le bras, il fit un geste ample et harmonieux, dessinant un arc de cercle au-dessus de nos têtes. Je vis clairement la faux imaginaire et la pierre imaginaire qui l'affilait. C'est à cet instant seulement que je me rendis compte que nous étions en train de répéter l'un de nos jeux préférés : comment n'y avais-je pas pensé plus tôt, nous qui avions été si souvent dans des ruines comme celles-là. Nous nous faufilions dans les fentes des murs qui menaçaient de s'écrouler. Nous marchions sur des planches qui branlaient sous les pieds. Nous volions de la ferraille et faisions comme si c'étaient des trésors. Nous l'avions fait pendant des années.

Petit à petit, je commençai à voir d'un autre œil l'aventure dans laquelle nous nous étions embarqués. Jusque-là, j'avais cru être venu uniquement pour mon père : pour honorer ses dernières volontés, pour expier mes fautes. Mais en regardant Bruno affiler sa faux imaginaire, l'héritage que j'avais reçu me fit davantage l'impression d'une réparation, ou d'une deuxième chance, pour notre amitié interrompue. C'était donc ça que mon père avait voulu m'offrir ? Bruno jeta un dernier coup d'œil à la corne puis la lança dans le tas de bois à brûler. J'allai la repêcher et la mis de côté, convaincu que je lui aurais trouvé une utilité.

Je fis de même avec le pin cembro qui était né entre les murs. À cinq heures, comme j'étais trop fatigué pour faire quoi que ce soit, je piochai la terre autour de l'arbuste et réussis à l'extirper avec ses racines. Le tronc était frêle et tordu d'avoir poussé comme il avait pu, en se frayant un chemin vers la lumière parmi les décombres. Ses racines nues lui donnaient un air moribond, et je me hâtai de le transplanter dehors. Je creusai un trou au bord de la terrasse, là où on avait la meilleure vue sur le lac, et l'installai là ; je recouvris les racines de terre, en tassant le sol avec application. Mais dès que j'eus lâché l'arbuste, le vent, auquel il n'était pas habitué, commença à le faire valser de tous côtés. Il me fit l'effet d'une créature trop fragile, longtemps protégée par les pierres et soudain livrée aux éléments.

« Tu crois qu'il va tenir le coup ? demandai-je.

— Ah, ça ! dit Bruno. Le cembro, c'est vraiment une plante bizarre : elle est forte pour pousser là où elle pousse, mais elle flanche dès qu'on la met ailleurs.

— Tu as déjà essayé ?

— Ça m'est arrivé quelquefois.

— Et comment ça s'est fini ?

— Mal. »

Il regarda par terre, comme il faisait quand il repensait à une vieille histoire. Il dit : « Mon oncle voulait un cembro devant chez lui. Je n'ai jamais su pourquoi, peut-être qu'il imaginait que ça portait chance. Ça n'aurait pas été du luxe, faut dire. Du coup, chaque année, il m'envoyait en montagne en chercher un, mais il se retrouvait toujours piétiné par les sabots des vaches, alors on a fini par laisser tomber.

— Comment vous l'appelez, vous ?

— Le cembro ? On dit arula.

— Ah oui. Et c'est vrai qu'il porte bonheur ?

— C'est ce qu'on dit. Si tu y crois, peut-être. »

Porte-bonheur ou pas, j'y tenais à ce petit arbre. Je plantai un bâton robuste à côté du tronc et l'attachai à plusieurs endroits avec de la ficelle. Puis j'allai au lac remplir ma gourde d'eau pour l'arroser. À mon retour, je vis que Bruno avait construit comme une plate-forme sous la grande paroi rocheuse. Il avait couché par terre deux poutres de l'ancien toit et cloué dessus quelques planches de récupération. Il prit dans son sac une cordelette et une bâche imperméable, de celles qu'on utilisait à Grana pour couvrir les bottes de foin dans les champs. Avec des piquets en bois, il attacha deux coins à une fissure dans la roche et deux autres au terrain, obtenant ainsi un auvent sous lequel il rangea son sac à dos et les provisions.

« Les affaires, on les laisse là ?

— On les laisse pas : je reste.

— Comment ça, tu restes ?

— Je reste dormir.

— Tu vas dormir ici ? »

Cette fois, il perdit patience et me répondit d'un ton brusque : « Tu crois quand même pas que je vais perdre quatre heures de travail par jour ? Le maçon garde le chantier du lundi au samedi. Le manœuvre monte et descend avec la marchandise. C'est comme ça. »

Je regardai le bivouac qu'il venait d'installer. Voilà qui expliquait enfin pourquoi son sac à dos était aussi rempli.

« Et tu comptes rester dormir ici quatre mois ?

— Trois mois, peut-être quatre, le temps qu'il faudra. C'est l'été, et le samedi je descends et dors dans un lit.

— Mais dans ce cas, je ne ferais pas mieux de rester moi aussi ?

— Peut-être plus tard. Il reste beaucoup de matériel à monter. J'ai emprunté un mulet. »

Bruno avait réfléchi longuement au travail qui nous attendait. Moi, j'improvisais, lui non. Il avait planifié chaque étape, mon cahier des charges et le sien, les temps et les déplacements. Il m'expliqua où il avait préparé le matériel et ce que j'allais devoir monter le lendemain. Sa mère me montrerait comment charger le mulet.

Il dit : « Je t'attends le matin à neuf heures. À six heures, t'es libre. Si t'es toujours partant, hein.

— Bien sûr que je suis partant.

— Tu penses que tu vas y arriver ?

— Mais oui.

— Alors ciao. »

Je regardai ma montre : il était six heures et demie. Bruno prit une serviette et un bout de savon et partit plus haut se laver dans quelque coin qu'il connaissait. J'observai la baraque, qui ressemblait en tout point à celle que nous avions trouvée le matin, mis à part l'intérieur vide, et le beau tas de bois dehors. Je me dis que ce n'était pas si mal que ça pour un premier jour de chantier. Puis j'endossai mon sac, saluai mon petit arbre et repris le chemin pour Grana.

Il y avait une heure que j'aimais plus que les autres en ce mois de juin, et c'était justement celle où je descendais seul à la fin de la journée. Le matin, c'était autre chose : j'étais pressé, le mulet refusait d'obéir, je ne pensais qu'à arriver. Le soir, je n'avais aucune raison de courir. Je partais à six, sept heures, avec le soleil encore haut au fond du vallon ; j'avais de la lumière jusqu'à dix heures et personne ne m'attendait à la maison. Je marchais tranquillement, avec la fatigue qui engourdissait mes pensées et le mulet qui me suivait sans que j'aie à m'en soucier. Du lac à l'éboulis, les flancs de la montagne fleurissaient de rhododendrons. À l'alpage des Guglielmina, autour des baite désertes, je surprenais des chevreuils en train de brouter l'herbe des prairies désaffectées : ils dressaient leurs oreilles et me scrutaient, alarmés, avant de s'enfuir dans le bois comme des voleurs. Parfois, je m'y arrêtais fumer. Pendant que le mulet paissait, je m'asseyais sur la souche de mélèze où la photo de Bruno et moi avait été prise. J'observais l'alpage et l'étrange contraste entre la désolation des choses humaines et la vigueur du printemps : les trois baite dépérissaient, leurs murs se voûtaient comme le dos des vieillards, les toits cédaient sous le poids des hivers ; et tout autour, les herbes et les fleurs sourdaient.

J'aurais bien aimé savoir ce que faisait Bruno à cette heure-là. Avait-il allumé son petit feu, se promenait-il seul dans la montagne, continuait-il de travailler jusqu'à la nuit tombée ? À bien des égards, l'homme qu'il était devenu me surprenait. J'avais imaginé trouver peut-être pas le portrait craché de son père, mais au moins celui de ses cousins, ou d'un des maçons qui, dans le temps, s'asseyaient à côté de lui au bar. Mais il n'avait rien à voir avec eux. On aurait dit quelqu'un qui, à un moment donné de sa vie, avait renoncé à la compagnie des autres, s'était trouvé un coin de monde et s'y était retranché. Il me rappelait sa mère : je la rencontrais souvent, ces jours-là, les matins où je faisais le plein de matériel. Elle m'expliquait comment attacher le bât, assurer les outils ou les planches aux flancs du mulet, l'éperonner quand il refusait d'avancer. Mais elle n'avait pas dit un mot sur mon retour, ni sur ce que j'étais en train de faire avec son fils. Petit déjà, j'avais l'impression qu'elle ne s'intéressait à rien de nos vies, qu'elle était bien là où elle était et que les autres défilaient devant elle comme les saisons. Je me demandais si elle ne cachait pas des sentiments totalement opposés.

Je reprenais le sentier le long du torrent et arrivais à Grana quand il faisait presque nuit, j'attachais le mulet en bas de chez moi, allumais le poêle et mettais une casserole d'eau sur le feu. Je pouvais ouvrir une bouteille de vin, si j'avais pensé à me ravitailler. Dans le garde-manger, je n'avais que des pâtes, des conserves, deux trois boîtes pour dépanner. Au bout de deux verres, je me sentais mort de fatigue. Parfois, je jetais les pâtes dans l'eau bouillante et m'endormais pendant qu'elles cuisaient, et je me réveillais devant la casserole en pleine nuit, avec le poêle éteint, la bouteille sifflée à moitié, mon dîner réduit à une bouillie infâme. J'ouvrais alors une boîte de haricots et en dévorais le contenu avec une cuillère, sans même prendre une assiette. Puis je m'allongeais sur mon matelas sous la table, me glissais dans mon sac de couchage et sombrais à nouveau dans le sommeil.

Vers la fin du mois de juin, ma mère arriva avec l'une de ses amies. Elles allaient se relayer pour lui tenir compagnie tout l'été, même si de mon point de vue elle était loin d'avoir l'air d'une veuve inconsolable. Mais elle me dit elle-même qu'elle était contente d'avoir quelqu'un à ses côtés, et je remarquais la confiance tacite qu'il y avait entre ces femmes. Elles parlaient peu en ma présence, se comprenaient en un clin d'œil. Je les voyais se partager cette vieille maison avec une intimité qui me semblait plus précieuse que les mots. Après l'enterrement discret de mon père j'avais réfléchi longuement à sa solitude, cette espèce de conflit permanent qu'il y avait entre lui et le reste du monde : il était mort au volant de sa voiture sans qu'aucun ami le regrette. Du côté de ma mère, je voyais les fruits d'une vie passée à cultiver les relations, à les soigner comme les plantes de son balcon. Je me demandais si on pouvait acquérir un don pareil, ou si on naissait avec, et c'est tout. Si je pouvais encore apprendre.

Quand je redescendais de la montagne, je me retrouvais avec rien de moins que deux femmes aux petits soins, la table mise et des draps propres dans mon lit : fini les haricots en boîte et le sac de couchage. Après dîner, ma mère et moi nous attardions dans la cuisine pour parler. Ça m'était facile, avec elle, et quand je lui dis que c'était comme retourner bien des années en arrière, je découvris que nous ne gardions pas le même souvenir de nos soirées. Dans le sien, je ne décrochais jamais un mot. Elle se souvenait de moi comme d'un enfant retranché dans un monde impossible à envahir, et dont je ne lui racontais presque jamais rien. Elle était heureuse, maintenant, de nos séances de rattrapage.

À la barma, Bruno et moi avions commencé à ériger les murs. Je décrivais à ma mère la façon dont nous travaillions, fier de partager mes découvertes d'apprenti maçon. Chaque mur était en réalité fait de deux rangées parallèles de pierres, séparées par un espace que nous remplissions de cailloux plus fins. De temps en temps, une grosse pierre posée faisait un pont entre les deux rangées. Nous utilisions du ciment, aussi, mais le moins possible, pas pour des raisons écologiques, mais parce que c'était moi qui montais les sacs de vingt-cinq kilos. Nous mélangions le ciment en poudre avec le sable du lac et versions cet emplâtre entre les pierres, si bien qu'on ne le voyait pas du dehors ou presque. Cette opération m'avait valu de nombreuses journées à faire la navette entre la barma et le lac. Il y avait une petite plage, sur la rive opposée, où j'allais remplir les besaces du mulet. J'aimais beaucoup l'idée que ce soit justement ce sable qui ferait tenir la maison.

Ma mère m'écoutait attentivement, mais la charpente n'était pas ce qui l'intéressait le plus.

« Et avec Bruno, comment ça se passe ? me demanda-t-elle.

— C'est étrange. Parfois, on croirait qu'on se connaît depuis toujours, mais si j'y pense, je ne sais pratiquement rien de lui.

— Qu'est-ce qui est étrange ?

— La façon qu'il a de me parler. Il est très attentionné avec moi. Plus qu'attentionné, il est même affectueux. Je ne me rappelais pas ça de lui. J'ai toujours l'impression que quelque chose m'échappe. »

Je fis tomber une bûche dans le poêle. J'avais envie d'une cigarette. J'étais gêné à l'idée de fumer devant ma mère, j'aurais bien voulu me libérer de ce secret de polichinelle, mais je n'y arrivais pas. Faute de mieux, j'allai me verser deux doigts de grappa. La grappa, je ne sais pas pourquoi, ça ne me gênait pas.

Quand je retournai m'asseoir, ma mère me dit : « Tu sais, Bruno a été très proche de nous toutes ces années. Il y a même eu des périodes où il venait ici tous les soirs. Ton père l'a souvent aidé.

— Il l'a aidé en quoi ?

— Ça n'était pas une aide matérielle, comment t'expliquer ? C'est vrai, il a pu arriver qu'il lui prête de l'argent, mais ce n'est pas ça que je veux dire. À un moment donné, Bruno s'est fâché avec son père. Il n'a plus voulu travailler avec lui, ça doit faire des années qu'il ne le voit plus, maintenant. Alors quand il avait besoin d'un conseil, c'était ici qu'il venait. Il se fiait beaucoup à ce que disait ton père.

— Je ne savais pas.

— Et puis il m'a toujours demandé de tes nouvelles, comment tu allais, ce que tu faisais. Moi, je lui racontais ce que tu m'écrivais dans tes lettres. Je n'ai jamais arrêté de le tenir au courant.

— Je ne savais pas », répétai-je.

Je commençais à comprendre ce qui arrive à quelqu'un qui s'en va : les autres continuent de vivre sans lui. J'imaginais les soirées qu'ils passaient tous les trois, quand Bruno avait vingt, vingt-cinq ans, et qu'il se tenait là, à ma place, à discuter avec mon père. Il en aurait été autrement si j'étais resté, ou peut-être aurions-nous partagé ces instants ; le regret de ne pas avoir été avec eux l'emportait sur la jalousie. J'avais l'impression d'être passé à côté du plus important, pendant que je me consacrais à d'autres choses si futiles que je n'aurais même pas su dire ce que c'était.

Nous terminâmes les murs, et pouvions passer au toit. Nous étions en juillet quand j'allai chez un forgeron, dans le village plus bas, récupérer huit étriers en acier que Bruno avait commandés, coudés de la façon précise qu'il voulait, et plusieurs lots de vis à expansion, longues comme ma main. Je chargeai ce matériel sur le dos du mulet avec un petit générateur, l'essence et mon vieil équipement d'escalade. Quand j'eus fini de tout monter, je rejoignis le toit de la paroi, où je n'étais encore jamais allé. Des mélèzes la surmontaient. Je m'assurai à l'un de ceux qui avaient le plus gros tronc et descendis jusqu'à mi-hauteur avec une corde à double, armé d'une perceuse électrique, puis je passai la journée au milieu des ordres que Bruno me criait du sol, le ronflement du générateur et le grincement assourdissant de la perceuse qui crevait la roche.

Il fallait compter quatre vis par étrier. Pour huit étriers, ça faisait trente-deux trous. À en croire Bruno, tout notre travail reposait sur ce calcul, parce que l'hiver la paroi déverserait de la neige en continu, aussi avait-il réfléchi longuement pour construire un toit qui tienne le choc. Plus d'une fois je me hissai aux cordes, déplaçai l'ancrage un peu plus sur le côté, retournai percer la roche en suivant ses indications ; le soir, les huit étriers étaient tous posés, alignés à bonne distance les uns des autres, à environ quatre mètres de hauteur.

Nos journées se terminaient maintenant par une bière que je glissais dans mon sac à dos le matin, avec les provisions. Nous nous assîmes devant le foyer noir de cendres et de braises. Moi, j'étais tout blanc, j'avais de la poussière des pieds à la tête et les mains endolories à cause de la perceuse. Mais quand je posai les yeux sur la paroi, les étriers en acier brillaient sous le soleil du soir. J'étais fier que Bruno ait décidé de me confier ce travail.

« Le problème, avec la neige, c'est qu'on ne peut jamais savoir à l'avance combien elle va peser, dit-il. Il existe bien des calculs pour la portée, mais il vaut mieux encore doubler.

— Quel genre de calculs ?

— Un mètre cube d'eau pèse dix quintaux, juste ? Eh bien, le même volume de neige peut en faire entre trois et sept, selon la quantité d'air qu'il contient. En théorie, pour qu'un toit puisse supporter deux mètres de neige, il faudrait calculer une portée de quatorze quintaux. Moi, je la double.

— Mais comment ils faisaient avant ?

— Ils consolidaient tout. Avant la désalpe, en automne, ils remplissaient la maison d'étançons. Tu te rappelles les gros troncs coupés qu'on a trouvés ? Il faut croire qu'un hiver, même eux n'ont pas suffi, à moins, peut-être, qu'ils en aient oublié.

Je regardai le sommet de la paroi. Tentai d'imaginer la neige qui s'accumulait là-haut, se détachait et se précipitait en bas. Ça faisait un sacré saut.

« Ton père aimait beaucoup discuter de ça, dit Bruno.

— Ah bon ?

— Quelle largeur doit faire une poutre, à quelle distance il faut les mettre les unes des autres, quel type de bois il vaut mieux utiliser. Le sapin, il faut éviter, parce que c'est un bois mou. Le mélèze est plus dur. Ça ne lui suffisait pas que je lui dise ça, il voulait toujours savoir pourquoi. Le fait est que le sapin pousse à l'ombre et le mélèze au soleil : le soleil rend le bois dur, alors que l'ombre et l'eau le ramollissent, c'est pour ça que le sapin ne fait pas de bonnes poutres.

— Ça ne m'étonne pas d'apprendre qu'il aimait ça.

— Il s'était même acheté un livre. Moi je lui disais : mais laisse tomber, Gianni, on n'a qu'à demander à un vieux maçon. Je l'ai présenté à mon chef de l'époque. On est allés le voir avec notre projet et ton père a pris un carnet pour tout noter. Même si, à mon avis, ça ne l'a pas empêché d'aller vérifier dans son livre, parce qu'il ne se fiait pas tellement aux autres, je me trompe ?

— Je ne sais pas, dis-je. Peut-être. »

Je n'avais plus entendu le nom de mon père depuis l'enterrement. L'entendre de la bouche de Bruno me fit plaisir, même s'il me semblait parfois que nous n'avions pas connu le même homme.

« Demain, on pose les poutres ? demandai-je.

— Il faut d'abord qu'on les coupe sur mesure. Et qu'on fasse la rainure pour les étriers. Pour les hisser là-haut, il faudra monter le mulet, on verra bien comment on avance.

— Tu veux dire que ça va prendre du temps ?

— Je ne sais pas. Une chose après l'autre, tu veux ? Là, on boit une bière.

— D'accord, on boit une bière. »

En attendant, la forme me revenait. Après un mois à faire ce trajet tous les matins, je commençais à retrouver mes jambes d'autrefois. Il me semblait que l'herbe des pâturages qui longeaient le sentier était chaque jour plus drue, l'eau du torrent plus calme, le vert des mélèzes plus éclatant, et que le début du mois de juillet ressemblait, pour le bois, à la fin d'une jeunesse agitée. C'était aussi le moment de l'année où j'arrivais enfant. La montagne retrouvait l'aspect qui m'était le plus familier, du temps où je pensais que les saisons ne changeaient jamais là-haut, et qu'un été éternel y attendait mon retour. À Grana, je rencontrais les éleveurs qui préparaient les étables, déplaçaient du matériel avec leurs tracteurs. Dans quelques jours ils y conduiraient leurs troupeaux et la partie basse du vallon se repeuplerait.

Sur les hauteurs, par contre, plus personne ne montait. Il y avait deux autres ruines près du lac, non loin de la route où je faisais la navette. La première, assiégée par les orties, était dans le même état que la mienne au printemps. Mais le toit n'était tombé qu'à moitié, et quand je donnai un coup d'œil à l'intérieur, je trouvai le même sordide spectacle : l'unique petite pièce avait été vandalisée, comme si le maître des lieux, au moment de les abandonner, avait voulu se venger de sa vie de misère, à moins que les visiteurs suivants aient tout retourné en cherchant en vain quelque chose de valeur. Il restait une table, un tabouret boiteux, des couverts jetés au milieu des déchets et un poêle qui m'avait l'air encore utilisable, et que je comptais bien prendre avant que le toit ne s'effondre complètement et ne l'enterre. La deuxième ruine n'était plus que le souvenir d'une construction beaucoup plus ancienne et complexe. Si la première ne pouvait pas avoir plus d'un siècle, celle-là en avait au moins trois. Ce n'était pas une simple étable mais un grand alpage doté de plusieurs corps de ferme, presque un petit hameau, avec des escaliers extérieurs en pierre et des poutres maîtresses imposantes qui m'intriguaient, étant donné que les arbres de ce diamètre poussent des centaines de mètres plus bas, et j'avais du mal à imaginer comment on avait pu les monter jusque-là. À l'intérieur, il n'y avait rien, sinon les murs lavés par les pluies et encore d'aplomb. Comparées aux cahutes auxquelles j'étais habitué, ces ruines semblaient témoigner d'une civilisation plus noble, qui avait fait feu de tout bois dans une période de décadence et avait fini par s'éteindre.

En montant, j'aimais m'arrêter une minute au bord du lac. Je me penchais pour caresser l'eau et en sentir la température au contact de ma peau. Le soleil, qui illuminait les cimes du Grenon, n'était pas encore arrivé jusque dans la vallée, et le lac gardait une qualité nocturne, comme le ciel quand il ne fait plus nuit noire et que le jour tarde à venir. Je ne me rappelais plus très bien les raisons qui m'avaient fait m'éloigner de la montagne, ni ce que j'avais aimé d'autre quand je ne l'avais plus aimée elle, mais j'avais l'impression, en la remontant chaque matin en solitaire, que nous faisions lentement la paix.

La barma, ces jours de juillet, ressemblait à une scierie. J'avais fait plusieurs convois et la terrasse était désormais encombrée de tas de bois, des planches de sapin de deux mètres encore blanches et parfumées de résine. Les huit poutres étaient posées entre la paroi et le mur le plus long, fixées aux étriers en acier, inclinées à trente degrés et renforcées au milieu par un long tronc de mélèze. Je pouvais presque imaginer la maison, maintenant que la charpente du toit était là : elle avait une porte côté ouest et deux belles fenêtres côté nord, les yeux rivés sur le lac. Bruno avait voulu les construire en arc, perdant des journées entières à modeler les pierres au maillet et au ciseau. À l'intérieur, il y aurait deux pièces, une pour chaque fenêtre. Des deux étages bas de plafond de la vieille cabane – l'étable en bas et la *casera* en haut – nous ferions un seul, plus haut et spacieux. Parfois, j'essayais de me représenter la lumière qui y entrait, mais c'était un peu trop demander à mon imagination.

Arrivé au chantier, je soufflais sur les braises du foyer, y jetais du bois sec, remplissais une petite casserole d'eau et la mettais sur le feu. Je sortais de mon sac le pain frais et une tomate, de celles que la mère de Bruno réussissait par miracle à faire pousser à mille trois cents mètres d'altitude. J'allais au bivouac pour chercher du café et trouvais le sac de couchage défait, un reste de bougie collé aux planches, un livre ouvert sur la tranche. Je jetais un œil à la couverture et souriais en découvrant le nom de Conrad. De toute l'école de ma mère, Bruno avait gardé sa passion pour les romans de marins.

Il sortait de la maison quand l'odeur du feu arrivait jusqu'à lui. Il restait dedans pour mesurer et couper les planches du toit. Plus on avançait dans la semaine et plus son allure devenait sauvage, et si je perdais la notion du temps je devinais à sa barbe quel jour on était. À neuf heures, je le trouvais déjà en plein travail, absorbé dans des pensées dont il avait peine à sortir.

« Oh, disait-il, te voilà. »

Il levait la main et m'adressait son salut manchot, puis venait prendre le petit déjeuner avec moi. Il coupait un morceau de pain et une tranche de tomme avec son couteau. Sa tomate, il la mangeait comme ça, sans sel ni rien, en observant le chantier et pensant au travail qui nous attendait.

VII

C'était la saison du retour et de la réconciliation, deux mots auxquels je songeais souvent pendant que l'été filait. Un soir, ma mère me raconta une histoire qui parlait d'elle, de mon père et de la montagne, comment ils s'étaient rencontrés et comment ils avaient fini par se marier. C'était étrange de l'entendre après tout ce temps, vu que c'était l'histoire de la naissance de notre famille, et donc de ma naissance. Mais petit j'étais justement trop petit pour entendre ce genre d'histoires, et après je n'écoutais plus rien. Je me serais bouché les oreilles, à vingt ans, plutôt que d'entendre parler de souvenirs de famille et, ce soir-là aussi, mon premier réflexe fut de froncer les sourcils. Une part de moi était attachée à ce qu'elle ne connaissait pas. Je regardais par la fenêtre en l'écoutant, le flanc opposé du vallon dans la pénombre des neuf heures du soir. Ce pan-là était entièrement recouvert de sapins, un bois sans clairières qui fondait droit sur le torrent. Seul un long couloir le traversait d'un sillon plus clair, et c'était lui que je ne quittais pas des yeux.

À mesure que ma mère avançait dans son récit, un autre sentiment commença à m'envahir. Je pensai : mais je la connais, cette histoire. Et c'était vrai, à ma façon, je la connaissais cette histoire. Pendant des années, j'en avais collectionné les fragments, comme quelqu'un qui posséderait les pages arrachées d'un livre et les aurait lues mille fois dans un ordre différent. J'avais vu des photographies, écouté des conversations. J'avais observé mes parents et leur façon de faire. Je savais quels sujets les forçaient d'un coup à se taire, quels autres à se disputer, et quels noms du passé avaient le don de les attrister ou de les émouvoir. Je possédais chaque élément de l'histoire, mais n'avais jamais réussi à la reconstituer en entier.

Je regardais dehors depuis un moment quand je vis les biches que je guettais sur l'autre versant. Au milieu du couloir, il devait y avoir une veine d'eau et chaque soir, avant la tombée de la nuit, elles sortaient du bois pour s'y abreuver. Je ne voyais pas d'eau de si loin, mais cette troupe de biches me disait qu'il y en avait. Elles allaient et venaient le long d'une de leurs pistes, et je les observai jusqu'à ce qu'il fasse trop sombre pour distinguer quoi que ce soit.

L'histoire est la suivante : pendant les années 1950, mon père était le meilleur ami du frère de ma mère, mon oncle Piero. Tous deux étaient de 1942, et donc de cinq ans plus jeunes qu'elle. Ils s'étaient connus gamins, au camp de vacances, là où les emmenait le prêtre du village. L'été ils passaient un mois entier dans les Dolomites. Ils dormaient sous la tente, jouaient dans les bois, apprenaient à aller en montagne et à se débrouiller tout seuls, et c'était cette vie-là qui avait fait d'eux les amis qu'ils étaient. Je pouvais comprendre ça, pas vrai ? dit ma mère. Oui, je n'avais aucune peine à les imaginer.

Piero était un brillant élève, mon père était plus fort dans les jambes et le caractère. Il y avait bien certaines choses pour lesquelles il était le plus fragile des deux, mais il était aussi celui dont l'enthousiasme entraînait les autres, celui qui avait le plus d'imagination et ne restait jamais en place. Il mettait de la bonne humeur là où il était, et un peu pour cette raison, un peu parce qu'il était à l'internat, leur maison était tout de suite devenue la sienne. À ma mère, il fit l'effet d'un gamin trop vif, un de ceux qui avaient besoin de courir et de se fatiguer plus que les autres. Qu'il soit orphelin, à l'époque, n'étonnait personne. C'était assez courant dans l'après-guerre, de la même manière qu'il était courant de prendre chez soi l'enfant d'un autre, un parent mort ou parti refaire sa vie on ne savait où. À la ferme, il y avait largement la place, et du travail aussi.

Il ne faut pas croire que mon père n'avait nulle part où dormir. Ce n'était pas un toit au-dessus de la tête qui lui manquait, mais une famille. À seize, dix-sept ans, il était donc toujours fourré chez eux, le samedi et le dimanche, et chaque jour de l'été pour les récoltes, les vendanges, les foins, la coupe du bois. Il aimait étudier. Mais il aimait aussi la vie au grand air. Ma mère me raconta la fois où Piero et lui avaient parié, par bravade, qu'ils écraseraient avec leurs pieds je ne sais combien de quintaux de raisin, leur découverte du vin, enfants, et le jour où on les avait trouvés cachés dans la cave complètement saouls. Des histoires comme celle-là, il y en avait à n'en plus finir, mais elle tenait à ce qu'une chose soit claire : cette amitié ne devait rien au hasard. Il y avait une volonté précise, derrière. Le prêtre, celui de la montagne, était un ami de mon grand-père ; pendant des années, il avait emmené camper garçons et filles, et voyait d'un bon œil que mon père se lie à eux. Le grand-père avait ensuite accepté de prendre l'orphelin chez lui. C'était aussi une façon d'assurer son avenir.

Piero me ressemblait, dit ma mère. C'était quelqu'un de taiseux, de réfléchi. Il avait une sensibilité qui lui permettait de comprendre les autres, mais le rendait un peu démuni face aux caractères plus affirmés que le sien. Quand il dut s'inscrire à l'université, il n'hésita pas une seule seconde : il tenait depuis toujours, plus que tout, à devenir médecin. Il aurait fait un bon médecin, dit ma mère. Il avait tout ce qu'il fallait : le talent pour l'écoute et la compassion. Mon père était pour sa part plus attiré par les éléments – la terre, le feu, l'air, l'eau – que par les êtres humains ; il aimait l'idée de plonger les mains dans la matière du monde et découvrir de quoi elle était faite. Oui, pensai-je, c'était tout lui. C'était comme ça que je me rappelais mon père : fasciné par le moindre grain de sable ou cristal de glace et sans aucune curiosité pour les gens. Je pouvais très bien imaginer avec quelle ardeur, à dix-neuf ans, il s'était lancé dans ses études de chimie.

Entre-temps, ils avaient commencé à aller en montagne tous les deux. De juin à septembre, chaque samedi ou presque, ils prenaient l'autocar pour Trente ou Belluno, puis remontaient les vallées en auto-stop. Ils passaient la nuit dans les prés, parfois dans les granges. Ils n'avaient pas d'argent pour acheter quoi que ce soit. Mais personne n'en avait parmi ceux qui allaient en montagne à l'époque, dit ma mère : les Alpes étaient l'aventure des pauvres, le pôle Nord ou l'océan Pacifique des jeunes de leur âge. Mon père était celui qui étudiait les cartes et projetait de nouvelles expéditions. Piero était le plus prudent, mais aussi le plus obstiné. Il fallait du temps pour le convaincre, mais une fois lancé il était rare qu'il abandonne en cours de route, et c'était le compagnon idéal pour quelqu'un comme mon père, qui était plutôt du genre à baisser les bras dès que les choses tournaient mal.

Puis leurs trajectoires ont dévié. Les études de chimie étant plus courtes que la médecine, mon père sortit diplômé le premier et, en 1967, il partit faire son service militaire. Il rejoignit l'artillerie de montagne, traînant canons et mortiers sur les chemins muletiers de la Grande Guerre. Son diplôme lui avait valu le grade de sous-officier, ou *sergent des mulets*, comme il disait : il ne connut guère la vie de caserne, cette année-là, puisqu'il la passa à travers les vallées avec sa compagnie. Il découvrit que cette vie était loin de lui déplaire. Chaque fois qu'il rentrait, il paraissait plus âgé que le garçon qui était parti, mais aussi plus vieux que Piero, qui passait encore ses journées dans les livres. On aurait dit qu'il avait été le premier à découvrir une saveur plus dure et réelle, et qu'il y avait pris goût. Il s'initia aux cuites à la grappa, mais aussi aux longues marches et aux campements sous la neige. C'était la neige qu'il vantait à Piero pendant ses permissions. Les formes qu'elle prenait, son caractère changeant, son langage. Avec sa fougue de jeune chimiste, il était tombé amoureux d'un élément nouveau. Il disait que, l'hiver, la montagne était un monde totalement différent, et que tous les deux devaient y aller ensemble.

Et c'est ainsi qu'en 1968, autour de Noël, peu après la fin de son service, Piero et lui inaugurèrent leur première saison hivernale. Ils se firent prêter par quelqu'un les skis et les peaux de phoque. Ils commencèrent à battre les sentiers qu'ils connaissaient le mieux, sauf que cette fois ils ne pouvaient plus dormir à la belle étoile et devaient payer les nuits au refuge. Mon père était surentraîné, mon oncle moins parce qu'il avait passé toute l'année à rédiger son mémoire de fin d'études. Mais lui aussi avait hâte

167

de faire de nouvelles découvertes. Ils avaient tout juste de quoi manger et dormir, et ne pouvaient évidemment pas s'offrir les services d'un guide, alors la technique était ce qu'elle était. De toute façon, à en croire mon père, pour monter, ça restait une affaire de jambes, et pour descendre, on finissait toujours par trouver un moyen. Petit à petit, ils commençaient même à développer un style. Jusqu'à ce jour de mars où ils mirent le cap sur un col du Sassolungo, et se retrouvèrent à traverser une pente sous le soleil de l'après-midi.

Je pouvais voir la scène que ma mère me décrivait tant elle avait dû entendre mon père la raconter. Il était un peu plus en hauteur et avait enlevé un ski pour remettre la fixation quand le terrain se déroba sous ses pieds. Il sentit un frémissement, comme une vague qui se retire sur le sable. Et c'était vraiment comme si toute la pente qu'il venait de traverser était en train de se retirer vers le bas. Avec une lenteur infinie, au début. Mon père glissa un mètre plus bas, réussit à se déporter sur le côté et à s'accrocher à un rocher, vit son ski dépareillé qui continuait la descente. Comme Piero, qui se trouvait à un endroit où la pente était plus découverte et plus raide. Il le vit perdre l'équilibre et glisser sur le ventre, le regard tourné vers le haut, les mains cherchant un appui en vain. Puis la masse de neige accéléra et grossit. Ce n'était pas la neige sèche de l'hiver, qui déferle en formant des nuages de poudre, mais la neige humide du printemps qui descend en roulant sur elle-même.

Elle roule et entraîne tout sur son passage, et elle submergea Piero sans vraiment le frapper ou le renverser : elle lui passa dessus et continua sa descente. Deux cents mètres plus bas, la pente s'adoucissait et c'est à cet endroit que l'avalanche se stabilisa.

Avant même qu'elle ne s'arrête mon père dévala la pente à toutes jambes, mais il ne voyait aucune trace de son ami. La neige était devenue dure. Neige lourde et bien tassée par la descente. Il s'agita en tous sens en criant, regardant partout si quelque chose bougeait, mais la neige était redevenue immobile, alors même qu'il ne s'était pas écoulé une minute depuis le choc. Les mois qui suivirent, mon père la décrivait ainsi : comme si une énorme bête avait été dérangée dans son sommeil, avait grogné à peine, s'était ébrouée un peu et réinstallée plus commodément, et puis se rendormait déjà. Pour la montagne, il ne s'était rien passé.

Son seul espoir, celui qui rarement se réalise, était que Piero ait pu se faire une bulle d'air là-dessous et réussisse encore à respirer. Mon père, qui, de toute façon, n'avait pas de pelle, prit la seule décision sensée et se mit à descendre en direction du refuge où ils avaient passé la nuit. Mais à peine plus bas il commença à s'enfoncer dans la neige molle. Alors il remonta, remit le ski qui lui restait et descendit tant bien que mal, en glissant sur quelques mètres et en tombant constamment, mais ça valait toujours mieux que de s'enfoncer à chaque pas. Au milieu de l'après-midi, il parvint au refuge et appela les secours.

Lesquels, étant donné l'heure, arrivèrent quand il faisait déjà nuit et trouvèrent mon oncle le lendemain matin, écrasé sous un mètre de neige, mort asphyxié.

Pour tout le monde, il ne faisait aucun doute que c'était sa faute. À qui auraient-ils pu s'en prendre autrement ? Deux choses prouvaient que Piero et lui n'avaient pas pris l'hiver au sérieux : ils étaient mal équipés et se trouvaient au mauvais endroit, au mauvais moment. Il venait de neiger. Il faisait trop chaud pour traverser une pente. C'était mon père le plus expérimenté des deux et il aurait dû le savoir, éviter ce passage et faire demi-tour avant. Mon grand-père trouva qu'il y avait quelque chose d'impardonnable dans ces erreurs, et avec le temps, au lieu de le quitter, la colère prit racine. Il n'eut pas le cœur de lui fermer la porte de chez lui, mais il n'avait plus aucun plaisir à le voir, et changeait d'expression dès qu'il arrivait. Puis il commença à changer de pièce. Un an plus tard, à la messe qu'on donna en mémoire de son fils, il s'arrangea même pour s'asseoir à l'autre bout de l'église. Mon père finit par se résigner, et arrêta de le déranger.

C'est à ce moment précis que ma mère entra en scène. Elle avait toujours été là, mais en spectatrice. Ça faisait une vie qu'elle connaissait mon père, même si au début il n'avait jamais été pour elle que l'ami de son frère. En grandissant, il était aussi devenu son ami à elle. Ils avaient chanté, bu, marché, vendangé tant de fois côte à côte qu'après l'accident ils prirent l'habitude de se voir pour parler. Pendant cette période, mon père traversait une profonde crise, et ma mère trouvait ça injuste. Elle ne trouvait pas juste qu'on lui mette toute la faute sur le dos et qu'on l'abandonne. Ils finirent par se mettre ensemble, à peu près un an avant leur mariage. L'invitation aux noces fut refusée par toute la famille. Et ils se marièrent sans un parent, en montagne leurs valises déjà prêtes pour Milan, et à partir de là, leur vie recommença de zéro. Avec une nouvelle maison, un nouveau travail, de nouveaux amis, de nouvelles montagnes. Je faisais moi aussi partie de leur nouvelle vie. J'en étais même la plus grande nouveauté, dit ma mère, celle qui justifiait toutes les autres. Moi, avec mon vieux nom, un nom de famille.

C'était tout. Quand ma mère eut fini son histoire, je repensai aux glaciers. La façon qu'avait mon père d'en parler. Il n'était pas du genre à revenir sur ses pas, ni n'aimait repenser aux jours tristes, mais certaines fois, en montagne, même sur les montagnes vierges où aucun ami n'était mort, il regardait le glacier et quelque chose dans sa mémoire refaisait surface. Il disait comme ça : l'été efface les souvenirs de la même façon qu'il fait fondre la neige, mais le glacier renferme la neige des hivers lointains, c'est un souvenir d'hiver qui refuse qu'on l'oublie. Je comprenais enfin ce qu'il voulait dire. Et je savais une bonne fois pour toutes que j'avais eu deux pères : le premier était l'étranger avec lequel j'avais habité pendant vingt ans, en ville, et coupé les ponts pendant dix autres ; le deuxième était mon père de montagne, celui que j'avais seulement aperçu et pourtant mieux connu, l'homme qui marchait derrière moi sur les sentiers, l'amant des glaciers. Cet autre père m'avait laissé une ruine à reconstruire. Je décidai alors d'oublier le premier, et de faire le travail qu'il attendait de moi en sa mémoire.

VIII

En août, le toit de la maison était fini. Il était fait de deux couches de planches séparées par une plaque de tôle et un isolant. À l'extérieur, c'étaient des bardeaux de mélèze mis à cheval les uns sur les autres et striés pour laisser l'eau s'évacuer, à l'intérieur, c'étaient des lames de sapin. Le mélèze devait protéger la maison de la pluie, le sapin la tenir au chaud. Nous avions décidé de ne pas percer le toit en faisant une lucarne. Même à midi, en plein été, cette absence rendait l'intérieur plutôt sombre. Les fenêtres tournées vers le nord ne recevaient pas de lumière directe, mais en regardant au-dehors je vis la montagne devant moi resplendir de l'autre côté du lac, presque blanche. À cette heure-là, ses ressauts et ses pierrailles m'éblouissaient. La lumière qui entrait par les fenêtres venait de là, comme renvoyée par un miroir : voilà comment fonctionnait une maison construite sur l'envers.

Je sortis sur la terrasse pour observer cette montagne au soleil. Puis me tournai vers la nôtre, le

Grenon, qui couvrait le ciel. L'envie m'était venue de grimper à son sommet et de voir à quoi ressemblait la barma de là-haut. Ça faisait deux mois que je l'avais au-dessus de la tête, mais l'idée ne m'avait pas encore traversé l'esprit : c'étaient peut-être mes jambes qui m'avaient dicté ce désir, et la chaleur de l'été. Mes jambes revigorées trépignaient d'impatience, et l'été m'attirait vers les hauteurs.

Bruno descendit du toit, où il s'adonnait à un travail de patience. Il devait fixer un chéneau de plomb entre la paroi rocheuse et le toit pour que l'eau, en s'écoulant, ne s'infiltre pas dans la maison les jours de pluie. Il fallait battre le plomb à coups de marteau centimètre par centimètre, de manière à ce qu'il épouse chaque bosse et chaque creux de la paroi et y adhère parfaitement. Le métal était mou et, si on le travaillait avec soin, paraissait comme soudé à la roche, une veine opaque. Ce faisant, le toit et la paroi devenaient une seule et même surface.

Je demandai à Bruno le sentier pour Grenon, et il me montra une trace qui coupait le flanc de la montagne depuis le lac. Il disparaissait derrière un rideau d'aulnes, dépassait une zone humide et réapparaissait plus loin, entre des escarpements plus verts. Là-bas, dit-il, derrière ce qui ressemblait à une crête se cachait en réalité une autre combe, et un autre lac plus petit que le nôtre. Après, il ne restait plus que de la caillasse. Il n'y avait pas vraiment de sentier pour ce tronçon, peut-être quelques cairns ou quelques traces de chamois, mais il m'indiqua quand même un renfoncement sur la ligne de faîte, où se détachait le blanc d'un reste de névé. Si je gardais cette neige dans ma ligne de mire, dit-il, je ne pouvais pas me tromper. Une fois là, je serais sur la crête et n'aurais aucun mal à continuer jusqu'au sommet.

« J'irais bien y faire un tour, dis-je. Peut-être samedi ou dimanche, s'il fait beau.

— Tu peux y aller aujourd'hui, dit Bruno. Je n'ai pas besoin de toi pour ce que je suis en train de faire.

— T'es sûr ?

— Mais oui. C'est ton jour de congé. Vas-y, je te dis. »

Le lac d'en haut différait en tout point du nôtre. Les derniers petits pins cembros et mélèzes, les derniers arbustes de saules et d'aulnes disparaissaient à mesure que j'avançais, et passé la ligne de faîte, l'air raréfié de la haute montagne soufflait déjà. Le lac n'était qu'une mare verdâtre, cernée de prés maigres et d'étendues de myrtilles. Une vingtaine de chèvres livrées à elles-mêmes se tenaient blotties près d'une ruine, et m'ignorèrent ou presque. Le sentier finissait là, au milieu des fausses pistes creusées par le passage répété des bêtes, là où les dernières brindilles cédaient la place aux grosses plaques de roche. J'avais le névé bien en vue, et me rappelais les règles de mon père : je tirai un trait entre moi et la neige, et partis. Il me semblait entendre sa voix qui me disait : tout droit, monte de ce côté.

Ça faisait des lustres que je n'avais pas marché au-dessus de la ligne des arbres. Je ne m'y étais jamais aventuré seul mais j'avais dû aller à bonne école, puisque je me déplaçais sans peine sur la pierraille. Je voyais un cairn plus haut et marchais dans sa direction, passant d'une pierre à une autre, suivant un instinct qui me faisait préférer les grands blocs stables aux branlants. Je trouvais une qualité élastique à la pierre, qui, au lieu d'absorber les pas comme le font la terre ou l'herbe, renvoyait l'énergie dans les jambes, donnait au corps l'élan de continuer. Une fois posé le premier pied sur les rochers, en m'élançant vers le haut et en faisant basculer mon poids vers l'avant, l'autre n'eut de cesse d'aller plus loin, si bien que je me mis à courir et sauter, et à arrêter de contrôler le mouvement de mes jambes, et à les laisser aller toutes seules. Je sentais que je pouvais compter dessus, et qu'elles ne se tromperaient pas. Je repensai à mon père, et à la joie que je lisais sur son visage quand nous dépassions les hauts pâturages et entrions dans ce monde de pierre. C'était peut-être cette même joie que je sentais dans mon corps.

J'arrivai au petit névé le souffle coupé. Je m'arrêtai dans ma course pour toucher du bout des doigts cette neige d'août. Elle était glacée et granuleuse, si dure qu'il fallait y aller avec les ongles pour la détacher ; j'en pris une poignée que je me passai sur le front et la nuque pour me rafraîchir. J'en suçai l'eau jusqu'à avoir des fourmis dans les lèvres, puis parcourus le dernier tronçon jusqu'à la crête. La vue devant moi s'ouvrit alors sur l'autre versant du Grenon, son côté au soleil : sous mes pieds, après une bande rocheuse, un long pré dévalait doucement jusqu'à un groupe de baite, et un pâturage piqueté de vaches. J'avais l'impression tout à coup d'être redescendu mille mètres plus bas, ou d'avoir changé de saison. Devant moi, la lumière de l'été et les sonnailles du bétail, et derrière, quand je me retournai, un automne ombrageux, sombre, fait de roches humides et de plaques de neige. D'en haut, la perspective rendait les deux lacs jumeaux. Je cherchai la maison que Bruno et moi étions en train de construire, mais peut-être étais-je déjà trop haut, à moins que ce fût elle qui se fondît trop bien dans le paysage, et moi qui fusse incapable de la distinguer de la montagne dont elle était faite.

Les cairns poursuivaient leur route quelques mètres sous la crête, le long d'une belle vire. Mais comme j'avais envie de grimper et n'avais pas de grands obstacles en vue, je décidai de rester sur le fil. Après toutes ces années, je reposai les mains sur la roche, choisis les appuis pour les pieds et me hissai. Même si l'ascension était des plus élémentaires, elle retint toute mon attention. Il me fallait de nouveau penser où poser la main et le pied, jouer de l'équilibre et non de la force, et me faire léger. Très vite, je perdis la notion du temps. Je ne voyais plus les montagnes autour de moi ni les deux mondes étrangers l'un à l'autre qui dévalaient en dessous de moi : il n'existait plus que la roche que j'avais sous les yeux, et mes mains et mes pieds. À un moment donné, il me fut impossible de monter, et je sus alors seulement que j'étais au sommet.

Et maintenant ? pensai-je. Il y avait un tas de cailloux sur la cime. Derrière ce monument rudimentaire, le mont Rose et ses glaciers barraient le ciel. J'aurais peut-être dû prendre une bière pour fêter ça, mais je n'éprouvais ni jubilation ni délivrance. Je décidai de rester le temps d'une cigarette, de saluer la montagne de mon père et de redescendre.

Je pouvais encore reconnaître chaque cime une à une. Je les observais, en fumant, d'est en ouest, et me remémorais chacun de leurs noms. Je me demandais à quelle altitude je pouvais bien être, parce qu'il me semblait avoir franchi les trois mille sans rien sentir dans le ventre, et cherchai des yeux quelque inscription. C'est là que je vis, encastrée dans le tas de cailloux, une petite boîte en fer-blanc. Je savais ce qu'il y avait dedans. Je l'ouvris et trouvai un cahier enveloppé dans une pochette plastique qui n'avait pas suffi à le protéger complètement de l'eau. Les pages rayées avaient la consistance du papier mouillé puis séché. Il y avait aussi deux trois stylos, avec lesquels les rares marcheurs avaient laissé une pensée, ou parfois rien que leur nom et la date de leur passage. Le dernier remontait à plus d'une semaine. Je parcourus les pages et vis que sur cette montagne pelée, défaite et sans sentiers, qui faisait de l'ombre à ma maison et que je sentais désormais aussi mienne, ne montaient guère plus d'une dizaine de personnes par an, aussi pouvait-on remonter loin dans les années. Je lus nombre de noms et d'observations sans importance. Comme si, après s'être donné autant de peine, nul ne trouvait les mots pour décrire ce qu'il ressentait, à part des banalités poétiques ou spirituelles. Je tournai les pages du cahier à rebours non sans un certain agacement pour l'humanité, et je ne savais pas ce que je cherchais avant de l'avoir trouvé : deux lignes d'août 1997. L'écriture était celle que je connaissais. L'esprit aussi. Il était écrit : *Monté de Grana en 3 heures et 58 minutes. Encore dans une forme splendide ! Giovanni Guasti.*

J'observai longuement les mots de mon père. L'encre qui avait bavé à cause de l'eau, la signature moins lisible que les deux phrases qui la précédaient. C'était la signature d'un homme habitué à la faire souvent, plus vraiment un nom mais seulement un geste automatique. Dans le point d'exclamation il y avait toute sa bonne humeur de la journée. Il était seul, c'est du moins ce que laissait penser le cahier, je l'imaginai donc traverser la pierraille et déboucher sur la crête comme je l'avais fait. J'étais sûr qu'il avait gardé un œil sur sa montre, jusqu'à cet endroit précis où il s'était mis à courir. Il voulait à tout prix s'en tirer en moins de quatre heures. Il se sentait bien là-haut, au sommet, fier de ses jambes et content de revoir sa montagne lumineuse. Je fus tenté d'arracher la page pour la conserver, mais ce geste me fit l'effet d'un sacrilège, comme d'emporter un caillou du sommet. Je refermai le cahier soigneusement dans sa pochette, le remis dans la boîte et le laissai là.

J'en trouvai d'autres, des messages de mon père, dans les semaines qui suivirent. J'étudiais la carte des sentiers et partais à sa recherche sur les sommets les plus humbles, ceux oubliés de la basse vallée. Sur le mont Rose, autour du 15 août, des processions de cordées visaient les glaciers et des alpinistes venus du monde entier déferlaient dans les refuges, mais sur les sentiers que je prenais, je ne croisais jamais personne, mis à part quelques loups solitaires de l'âge de mon père, voire plus vieux encore. J'avais l'impression de le croiser lui, quand je les dépassais. Et il faut croire qu'ils voyaient en moi un fils, parce qu'ils me regardaient arriver et se mettaient sur le côté en disant : « Place à la jeunesse ! » Je vis que ces hommes avaient plaisir à ce que je m'arrête pour discuter un peu, et je me mis à le faire. Parfois, nous en profitions pour manger un morceau ensemble. Tous revenaient sur les mêmes montagnes depuis trente, quarante, cinquante ans, et comme moi préféraient celles que les alpinistes boudaient, les vallons abandonnés où rien ne semblait jamais changer.

Un homme aux moustaches blanches me raconta que c'était une façon pour lui de repenser à sa vie. C'était comme si, en empruntant chaque année le même sentier, il se replongeait dans ses souvenirs et remontait le cours de sa mémoire. Il venait de la campagne, comme mon père, même si la sienne était celle des rizières entre Novare et Verceil. De la maison où il était né, il voyait le mont Rose au-dessus de la ligne des champs et, depuis tout petit, on lui expliquait que c'était là-haut que l'eau naissait : l'eau qu'il buvait, l'eau des fleuves, l'eau pour irriguer les rizières, toute l'eau qu'ils utilisaient venait de là ; et tant que le glacier resplendirait à l'horizon, ils seraient à l'abri des problèmes de sécheresse. Il m'était sympathique, ce monsieur. Il était veuf depuis quelques années, et sa femme lui manquait beaucoup. Il avait des taches de soleil sur son crâne dégarni et une pipe qu'il entreprit de bourrer pendant que nous parlions. À un moment donné, il sortit une flasque de son sac, versa deux gouttes de grappa sur un carré de sucre et me l'offrit.

« Avec ça, t'iras à fond de train », dit-il. Puis, au bout d'un moment, il ajouta : « Il n'y a rien de mieux que la montagne pour se souvenir. » Je commençais à le savoir moi aussi.

Sur les sommets, je trouvais une croix bancale, parfois même moins. Je dérangeais des bouquetins qui bronchaient sans vraiment fuir. Les mâles me soufflaient au visage tout le déplaisir que leur causait ma présence ; les femelles et leurs petits, derrière, se mettaient à l'abri. Si j'avais de la chance, la boîte en fer-blanc était cachée au pied de la croix, ou quelque part au milieu des cailloux.

Je découvris la signature de mon père dans chacun de ces carnets. Il était souvent télégraphique, toujours à se vanter. Il m'arrivait de reculer dix années en arrière rien que pour trois mots : *Fait aussi celui-ci, Giovanni Guasti*. Un jour, il devait se sentir particulièrement en forme et s'être ému devant quelque

chose pour écrire : *Bouquetins, aigles, neige fraîche.*
Comme une deuxième jeunesse. Un autre disait : *Brouillard épais jusqu'au sommet. Vieilles chansons.*
Magnifique panorama intérieur. Je les connaissais
toutes, ces chansons, et j'aurais bien aimé être avec
lui pour chanter dans le brouillard. C'était le même
ton mélancolique que je lus dans un autre message,
laissé encore un an avant : *De retour là-haut après*
toutes ces années. Si seulement on pouvait s'y retrou-
ver tous ensemble, sans voir plus personne, sans plus
avoir à redescendre.

Tous qui ? me demandai-je. Et moi, où étais-
je ce jour-là ? Qui sait s'il n'avait pas déjà senti son
cœur faiblir, ou ce qui avait pu lui arriver pour qu'il
écrive ces mots. *Sans plus avoir à redescendre.* C'était
ce même sentiment qui l'avait fait rêver d'une maison à l'endroit le plus haut, le plus hostile et le plus
reculé où il pourrait vivre coupé du monde. Moi, je
copiais les dates et les phrases sur un carnet, avant de
remettre le cahier là où je l'avais trouvé. Jamais je ne
rajoutais une ligne de ma main.

Bruno et moi vivions peut-être bien le rêve de mon
père. Nous nous étions retrouvés dans une pause
de nos existences : celle qui met fin à un âge et en
précède un autre, même si ça, nous ne le compren-
drions que plus tard. De la barma nous voyions les
faucons voltiger au-dessous, les marmottes monter
la garde sur le seuil de leur terrier. Nous apercevions
parfois un pêcheur ou deux, au bord du lac en bas,

et quelque marcheur, mais jamais ils ne levaient la tête pour nous chercher du regard, et jamais nous ne descendions à leur rencontre. Nous attendions qu'ils soient tous partis avant de piquer une tête, les après-midi d'août. Le lac était glacé et nous jouions à celui qui tiendrait le plus longtemps dans l'eau, avant de courir à travers champs jusqu'à ce que le sang recommence à circuler dans nos veines. Nous aussi, nous avions une canne à pêche : un simple bâton et une ligne avec lesquels il m'arrivait parfois d'attraper quelque chose, en me servant de sauterelles en guise d'appâts. Nous avions alors pour dîner des truites grillées au feu de bois et arrosées de vin rouge. Nous restions assis devant ce feu jusqu'à ce que la nuit tombe.

Je dormais aussi là-haut, à présent. J'installai mon campement dans la maison en construction, juste en dessous de la fenêtre. La première fois, je passai de longues heures dans mon sac de couchage à observer les étoiles et à écouter le vent. Je tournais le dos à la paroi et même dans le noir je pouvais sentir la présence de la roche, comme si elle possédait un magnétisme, ou une force de gravité, ou comme quand on a les yeux fermés et que quelqu'un passe la main sur notre front et que l'on sent qu'il est là. J'avais l'impression de dormir dans une caverne creusée dans la montagne.

Comme Bruno, je me déshabituai rapidement de la civilisation. Je descendais au village une fois par semaine, à contrecœur, uniquement pour assurer le ravitaillement, surpris de me retrouver au milieu des voitures en moins de deux heures de marche. Les commerçants me traitaient comme n'importe quel touriste, un brin excentrique peut-être, et ça m'allait très bien comme ça. Je me sentais mieux quand je reprenais le sentier. Je chargeais sur le mulet le pain, les légumes, la charcuterie et le fromage, le vin, lui donnais une claque sur l'arrière-train et le laissais monter tout seul, le long de cette route qu'il connaissait désormais par cœur. Peut-être aurions-nous vraiment pu rester là-haut pour toujours, et personne ne s'en serait jamais aperçu.

Les pluies de fin août arrivèrent. Elles non plus, je ne les avais pas oubliées. Ce sont les jours qui, en montagne, apportent l'automne, parce que après, quand il fait de nouveau beau, ce n'est plus le soleil chaud d'avant, et la lumière est devenue oblique, les ombres plus longues. Ces bancs de nuages lents, informes, qui engloutissent les sommets, me disaient autrefois qu'il était temps de partir, et j'en voulais au ciel que l'été ait duré si peu, ne venait-il pas tout juste de commencer ? Ça n'était pas possible, il ne pouvait pas s'être envolé comme ça.

À la barma, la pluie ployait l'herbe des prés, piquetait la surface du lac. Elle tambourinait sur notre toit et son crépitement se confondait avec celui du feu. Nous étions alors occupés à recouvrir de sapin l'intérieur d'une des salles, en nous chauffant au poêle que j'avais récupéré. Nous l'avions installé contre la paroi. La roche, peu à peu, tiédissait, et renvoyait la chaleur dans la pièce ; le sapin dont celle-ci était revêtue devait la retenir, mais c'était encore une idée pour plus tard. Sans porte ni fenêtres, le vent nous soufflait dans le cou et la pluie entrait par les côtés mais, le travail fini, nous nous sentions bien dedans, à regarder le feu que nous nourrissions avec le bois de l'ancienne maison.

Un soir, Bruno me parla du projet qu'il avait en tête. Il comptait acheter l'alpage de son oncle. Il y avait longtemps qu'il mettait de l'argent de côté. Les cousins, pas mécontents de se débarrasser de leurs mauvais souvenirs, lui avaient fait un prix, et Bruno avait passé toutes ses économies dans le premier acompte, le reste, il espérait se le faire prêter par la banque. Les mois à la barma avaient été une répétition générale : il savait maintenant qu'il en était capable. Si tout se passait bien, il passerait l'été prochain à refaire le même travail : il voulait rénover les baite, acheter un peu de bétail et relancer l'alpage d'ici deux trois ans.

« C'est un beau projet, dis-je.

— Les vaches ne coûtent plus rien maintenant, dit-il.

— Et elles rapportent ?

— Pas tant que ça. Mais peu importe. Si c'était qu'une question d'argent, je resterais maçon.

— Ça ne te plaît plus, de faire le maçon ?

— Bien sûr que ça me plaît. Mais je me suis toujours dit que c'était temporaire. Je sais construire des maisons, mais je ne suis pas né pour ça.

— Et tu es né pour quoi, alors ?

— Pour être montagnard. »

Il prit un ton sérieux quand il prononça ce mot. Je l'avais entendu l'utiliser peu de fois, quand il me parlait de ses ancêtres : les anciens habitants de la montagne qu'il connaissait à travers les bois, les champs ensauvagés, les ruines des maisons qu'il avait passé sa vie à explorer. Cet abandon lui paraissait inévitable autrefois, quand il ne voyait pas d'autre destin pour lui que celui de tous les hommes de la vallée. Regarder en bas, là où étaient l'argent et le travail, et pas en haut, là où il n'y avait que ronces et ruines. Il me raconta que son oncle, à l'alpage, ne réparait plus rien, sur la fin. Si une chaise se cassait, il la balançait au feu. S'il voyait une mauvaise herbe envahir le pré, il ne prenait même plus la peine de l'arracher. Son père jurait dès qu'il entendait le nom de cet endroit, les vaches, il les aurait volontiers abattues d'un coup de fusil, et l'idée que tout allait à vau-l'eau provoquait chez lui une joie cruelle.

Mais Bruno se sentait différent. Si différent de son père, de son oncle et de ses cousins, qu'il avait fini par comprendre à qui il ressemblait, et d'où lui venait l'appel de la montagne.

« De ta mère », dis-je. Non pas que je le savais avant : je l'avais pensé en l'écoutant.

« Oui, dit Bruno. On est pareils, elle et moi. »

Il prit le temps de bien peser ses mots, puis ajouta : « Seulement, elle, c'est une femme. Si je vais vivre dans les bois, personne ne me dira rien. Si une femme le fait, on la traitera de sorcière. Si je me taisais, quel problème ça ferait ? Je ne serais qu'un homme qui ne parle pas. Une femme qui ne parle plus est forcément à moitié folle. »

C'était vrai, nous l'avions tous pensé. Moi non plus, je n'avais jamais échangé plus de deux mots avec elle. Et même à cette époque, quand je passais à Grana et qu'elle me donnait les pommes de terre, les tomates et la tomme pour monter au chantier. Un peu plus voûtée et encore plus maigre qu'avant, elle restait l'étrange présence que je voyais là-haut, pliée en deux au-dessus de son potager, quand j'étais enfant.

Bruno dit : « Si ma mère avait été un homme, tu peux être sûr qu'elle aurait fait la vie qu'elle voulait. Elle n'était pas du genre à se marier, à mon avis. En tout cas pas avec mon père. Sa seule chance a été de se libérer de lui.

— Et comment elle a fait ?

— En arrêtant de parler, et en restant perchée là-haut avec ses poules. Tu peux rien dire à une femme comme ça, tôt ou tard tu finis par la laisser tranquille.

— C'est elle qui te l'a dit ?

— Non. Ou si, peut-être, plus ou moins. Qu'est-ce que ça change, de toute façon, je l'ai compris tout seul. »

Je savais que Bruno avait raison. J'en étais arrivé à des conclusions du même ordre pour mes parents. Cette phrase commença à tourner en boucle dans ma tête, *sa seule chance a été de se libérer de lui,* et je me demandai si ce n'était pas la même chose qui était arrivée à ma mère. La connaissant, c'était tout à fait probable. Ce n'était peut-être pas une chance à proprement parler, mais sans doute un soulagement. Mon père avait été un homme envahissant. Et despote, et pénible. Quand il était là, il n'y en avait que pour lui : son caractère exigeait que nos vies gravitent tout autour de la sienne.

« Et toi ? me demanda Bruno au bout d'un moment.

— Quoi, moi ?

— Tu comptes faire quoi, maintenant ?

— Ah, je pars, je crois, si j'y arrive.

— Où ça ?

— Peut-être en Asie. C'est encore trop tôt pour le dire. »

Je lui avais déjà fait part de mon envie de voyager. C'est d'ailleurs surtout pour cette raison que j'étais fatigué d'être à court d'argent : ces dernières années, j'avais gaspillé toute mon énergie pour boucler les fins de mois. Il n'y avait rien qui me manquât dans ce que je ne possédais pas, mais la liberté d'aller par le monde, si. Cette fois, avec le petit héritage que m'avait laissé mon père, j'avais redressé mes comptes et voulais m'inventer un projet loin de chez moi. J'avais envie de prendre un avion, de partir plusieurs mois, sans idée trop précise, et de voir si je trouvais une histoire à en tirer. Je ne l'avais encore jamais fait.

« Ça doit être beau de partir comme ça, dit Bruno.

— Tu veux venir ? » demandai-je. Pour plaisanter, mais pas seulement. Je regrettais que le chantier touche à sa fin. Jamais je ne m'étais senti aussi bien avec quelqu'un.

« Non, c'est pas un truc pour moi, dit-il. Toi, tu es celui qui va et qui vient, moi je suis celui qui reste. Comme toujours, pas vrai ? »

Quand la maison fut terminée, en septembre, elle avait deux salles, une en bois et une en pierre. La salle en bois était plus grande et chaude, avec un poêle, une table, deux tabourets, une huche et un buffet. Certains de ses meubles venaient des ruines alentour, je les avais récupérés et nettoyés à grand renfort d'huile de coude et de papier de verre ; d'autres, Bruno les avait construits avec les lames de l'ancien plancher. Sous le toit, contre la paroi, il y avait une soupente à laquelle on accédait au moyen d'une échelle : c'était le coin le mieux chauffé et le moins exposé de la maison ; la table, en revanche, on l'avait mise directement sous la fenêtre pour pouvoir rester assis à regarder dehors. La salle de pierre était petite et fraîche, et nous comptions nous en servir de cave, d'atelier et de remise. Nous y laissâmes la plupart de nos outils, et tout le bois qui nous restait. Il n'y avait pas de toilettes, ni d'eau courante ou d'électricité, mais nous avions des fenêtres avec des vitres épaisses, et une solide porte d'entrée, équipée d'un verrou et sans cadenas. Seule la salle en pierre fermait à clé. La serrure servait à éviter qu'on nous vole les outils, mais la salle en bois restait ouverte, comme le veut l'usage dans les refuges, au cas où quelqu'un passerait par là en hiver et serait en difficulté. Le pré autour de la maison était aussi net qu'un jardin, maintenant. Le bois à brûler restait au sec sous un appentis et mon petit pin cembro vrillé regardait le lac, même s'il ne me semblait ni plus solide ni plus vaillant que lorsque je l'avais replanté.

Le dernier jour, je descendis à Grana chercher ma mère. Elle laça ses grosses chaussures en cuir que je lui avais toujours connues : elle n'en avait jamais eu d'autres. J'avais imaginé qu'elle aurait eu de la peine à monter, mais nous marchâmes doucement, à son pas, et ne fîmes pas une seule pause, et moi qui me tenais derrière elle, je vis comment elle marchait. Elle garda le même rythme, lent et implacable, pendant plus de deux heures. À la voir, on aurait cru qu'il était impossible qu'elle perde l'équilibre ou qu'elle glisse.

Elle fut heureuse de voir la maison que Bruno et moi avions construite. C'était un jour de septembre limpide, avec les torrents presque taris maintenant, l'herbe qui séchait dans les prés et un vent différent de celui, tiède, qui soufflait en août. Bruno avait allumé le poêle et il faisait bon rester dans la maison, à boire un thé devant la fenêtre. Ma mère aimait ça, les fenêtres, et elle resta pas mal de temps à regarder dehors, pendant que Bruno et moi nous répartissions le matériel pour redescendre. Puis je la vis sortir sur la terrasse regarder longuement chaque détail pour s'en imprégner : le lac, les pierrailles, les cimes du Grenon, l'extérieur de la maison. Elle observa longuement l'inscription que nous avions gravée la veille sur la paroi de roche, au maillet et au ciseau. J'avais passé sur les lettres une couche de peinture noire :

GIOVANNI GUASTI
1942-2004
C'EST DANS LE SOUVENIR
QUE SE TROUVE
LE PLUS BEAU REFUGE

Puis, elle nous appela pour chanter une chanson. C'était la chanson que l'on chante à la mort d'un amant de la montagne, la chanson où l'on prie Dieu de le laisser marcher encore dans son autre vie. Tant Bruno que moi la connaissions. Tout était juste, me semblait-il, fait comme il se doit. Il restait à dire une chose qui me trottait dans la tête depuis longtemps, et je décidai de la dire à cet instant pour que ma mère l'entende aussi, et qu'il y ait un témoin qui s'en souvienne. Je dis à Bruno que je voulais que cette maison ne soit pas la mienne mais la nôtre. La mienne et la sienne. À tous les deux. J'étais convaincu que c'était ce que voulait mon père, parce qu'il nous l'avait confiée à tous les deux, et surtout, c'était ce que je voulais moi, parce que nous l'avions construite ensemble. Dorénavant, dis-je, il pouvait considérer cette maison comme la sienne, autant que je la considérais mienne.

« T'es sûr ? me demanda-t-il.

— Moi, oui.

— Alors d'accord, dit-il. Merci. »

Puis il vida les braises du poêle et les jeta dehors. Je fermai la porte de la maison, pris le mulet par le licol et dis à ma mère d'ouvrir la marche, et c'est ainsi que nous repartîmes tous les quatre à son pas pour Grana.

TROISIÈME PARTIE

Hiver d'un ami

IX

C'est un vieux Népalais, des années après, qui me parla des huit montagnes. Avec sa cargaison de volailles, il remontait la vallée de l'Everest en direction de quelque refuge où elles deviendraient du poulet au curry pour touristes. Il portait sur son dos une cage qui devait contenir une douzaine de cellules, et les poules, vivantes, y faisaient un vacarme de tous les diables. Un convoi pareil, je n'en avais encore pas croisé. J'avais vu des hottes remplies de chocolat, de biscuits, de lait en poudre, de bouteilles de bière et de whisky et de Coca-Cola aller par les sentiers du Népal pour satisfaire les goûts des Occidentaux, mais un poulailler portable, jamais. Quand je demandai à l'homme si je pouvais le photographier, il posa son chargement contre un muret, ôta de son front le bandeau qui lui servait à porter, et prit la pose, tout sourires, à côté de ses poules.

Comme il en profitait pour souffler, nous parlâmes un moment. Il venait d'une région où j'étais allé moi aussi, et s'en étonna. Il comprit que je n'étais pas un promeneur de passage, je réussissais même à aligner quelques phrases en népalais, et me demanda pourquoi je m'intéressais autant à l'Himalaya. J'avais déjà la réponse toute trouvée à cette question : je lui dis qu'il y avait une montagne sur laquelle j'avais grandi, à laquelle j'étais très attaché, et qu'elle m'avait donné envie de voir les plus belles, à l'autre bout du monde.

« Ah, dit-il. Je vois, tu fais le tour des huit montagnes.

— Quelles huit montagnes ? »

L'homme ramassa un petit bâton avec lequel il fit un cercle dans la terre. Le motif était parfait, on voyait qu'il avait l'habitude de le dessiner. À l'intérieur, il traça un diamètre, puis un deuxième, perpendiculaire au premier, et puis encore un troisième et un quatrième le long des bissectrices, obtenant ainsi une roue à huit rayons. Je me dis que si j'avais voulu arriver à une figure comme celle-là, je serais parti d'une croix, mais c'était typiquement asiatique de partir d'un cercle.

« Tu as déjà vu ce dessin ? me demanda-t-il.

— Oui, lui répondis-je. Dans les mandalas.

— Exact, dit-il. Nous disons qu'au centre du monde, il y en a un autre, beaucoup plus haut : le Sumeru. Et autour du Sumeru, il y a huit montagnes et huit mers. C'est le monde pour nous. »

Tout en disant ces mots, il traça à l'extérieur de la roue une petite pointe au-dessus de chaque rayon, puis une vaguelette d'une pointe à une autre. Huit montagnes et huit mers. À la fin, il entoura le centre

196

de la roue d'une couronne qui devait, pensai-je, être le sommet enneigé du Sumeru. Il jaugea son travail un instant et secoua la tête, comme s'il avait déjà fait mille fois ce dessin mais avait un peu perdu la main dernièrement. Il planta quand même son bâton au centre, et conclut : « Et nous disons : lequel des deux aura le plus appris ? Celui qui aura fait le tour des huit montagnes, ou celui qui sera arrivé au sommet du mont Sumeru ? »

Le porteur de poules me regarda et sourit. Je fis de même, parce que son histoire m'amusait et que j'avais le sentiment de la comprendre. Il effaça le mandala de sa main mais je savais que je n'étais pas près de l'oublier. Celle-là, me dis-je, il faut absolument que je la raconte à Bruno.

Le centre de mon monde, durant ces années-là, c'était la maison que nous avions construite ensemble. J'y séjournais de longues périodes, entre juin et octobre, et y emmenais parfois des amis qui en tombaient aussitôt amoureux, si bien que je finis par avoir là-haut la compagnie qui me manquait en ville. La semaine, je vivais seul, passant mes journées à lire, écrire, couper du bois et flâner sur les vieux sentiers. La solitude devint pour moi une condition familière. Elle avait du bon, mais pas seulement. Par chance, les samedis d'été, j'avais toujours de la visite, la maison cessait alors de ressembler à la cabane d'un ermite, et devenait un de ces refuges que je fréquentais autrefois avec mon père. Avec le vin sur la table, le poêle allumé, les amis qui discutaient jusqu'à point d'heure, et les kilomètres nous séparant du monde qui faisaient de nous des frères l'espace d'une nuit. Le refuge se réchauffait au feu de cette intimité, et en conservait, me semblait-il, les braises d'une visite à l'autre.

Bruno aussi était attiré par la chaleur de la barma. Je le voyais déboucher du sentier le soir venu, avec un morceau de tomme et un gros litre de vin, ou je l'entendais frapper à la porte quand la nuit était déjà tombée, comme si recevoir la visite d'un voisin dans la nuit des deux mille mètres était tout ce qu'il y avait de plus normal. Si j'avais de la compagnie, il se joignait volontiers à la tablée. Je le trouvais plus bavard que jamais, comme quelqu'un qui se serait tu trop longtemps et aurait accumulé un tas de choses à raconter. À Grana, il restait confiné dans son monde avec ses maisons, ses livres, ses promenades dans les bois, ses idées silencieuses, et je comprenais l'urgence qui le poussait à se laver et à se changer, après une journée de chantier, à ignorer la fatigue et le sommeil, et à emprunter le sentier qui montait au lac.

Avec ces amis, nous parlions souvent d'aller vivre en montagne tous ensemble. Nous lisions Bookchin et rêvions, ou faisions semblant de rêver, de transformer un de ces hameaux abandonnés en citadelle écologique où nous aurions expérimenté notre idée de société. Il n'y avait qu'en montagne qu'on pourrait faire ça. Il n'y avait que là-haut qu'ils nous laisseraient la paix. Nous en avions vu d'autres, des expériences dans le genre, à travers les Alpes, et toutes s'étaient très vite soldées par un échec, mais c'étaient justement les raisons de ces échecs qui alimentaient notre moulin et ne nous empêchaient pas de continuer de rêver. Comment ferions-nous pour manger ? Comment pour l'électricité ? Comment pour construire les maisons ? Il nous faudrait bien encore un peu d'argent, mais comment ferions-nous pour nous le procurer ? Où enverrions-nous nos enfants à l'école, si tant est que nous décidions de les y envoyer ? Et comment résoudrions-nous le problème de la famille, cette ennemie encore plus redoutable que la propriété et le pouvoir, qui tue dans l'œuf toute communauté ?

C'était le jeu de l'utopie auquel nous jouions tous les soirs. Bruno, qui, lui, construisait pour de vrai son hameau idéal, prenait un malin plaisir à démolir le nôtre. Il disait : sans ciment, vos maisons ne tiendront pas debout, et sans engrais, vous ne réussirez même pas à faire pousser l'herbe sur les pâturages, et sans carburant, j'aimerais bien voir comment vous couperez votre bois. L'hiver, vous comptez manger quoi, polenta et patates, comme les vieux ? Et il disait : c'est bien un mot de la ville, ça, la *nature*. Vous en avez une idée si abstraite que même son nom l'est. Nous, ici, on parle de *bois*, de *pré*, de *torrent*, de *roche*. Autant de choses qu'on peut montrer du doigt. Qu'on peut utiliser. Les choses qu'on ne peut pas utiliser, nous, on ne s'embête pas à leur chercher un nom, parce qu'elles ne servent à rien.

J'aimais l'entendre parler comme ça. Et j'aimais aussi le voir s'emballer tout de suite après pour certaines des idées que nous ramenions de nos voyages à travers le monde, lui qui était le seul capable de les concrétiser. Une année, il tira cinquante mètres de tuyau d'un des ruisseaux qui alimentaient le lac, creusa un tronc de mélèze avec sa tronçonneuse et construisit une fontaine devant la maison. Nous nous retrouvions avec de l'eau pour boire et nous laver, mais ce n'était pas le but principal : sous le jet de la fontaine, il installa une turbine que je m'étais fait envoyer exprès d'Allemagne. Elle était en plastique, grande comme un bras, pareille à une girouette.

« Oh, Berio ! Tu te rappelles, dit-il, le jour où notre moulin a commencé à tourner ?

— Bien sûr que je me rappelle. »

La turbine rechargeait une batterie qui nous permettait, à la maison, de tenir une radio et une petite lampe allumées toute la soirée. Elle tournait nuit et jour, n'était pas tributaire de la météo comme un panneau solaire ou une éolienne, ne coûtait rien et ne consommait rien. C'était l'eau qui dévalait du Grenon, tombait dans le lac et, en descendant, faisait un crochet par la maison pour mettre de la lumière et de la musique dans nos soirées.

Une fille monta avec moi, durant cet été 2007. Elle s'appelait Lara. Nous étions ensemble depuis quelques mois seulement. Nous étions dans cette phase qui pour d'autres correspond au début d'une relation, sauf que pour nous, c'était déjà la fin. J'avais commencé à me défiler, à l'éviter et à jouer les absents pour qu'elle me laisse tomber avant que toute cette histoire ne finisse par devenir trop douloureuse. C'était un système rodé, et ces jours-là elle m'obligea à le reconnaître avec des mots. Elle se fâcha une nuit, puis ça lui passa.

Nous eûmes même de beaux moments, une fois qu'il était entendu que ce seraient les derniers. La maison, le lac, les pierrailles et les crêtes du Grenon plaisaient beaucoup à Lara, qui faisait de longues promenades en solitaire le long des sentiers. Je fus surpris de voir à quel point elle marchait. C'était une femme aux jambes musclées, à l'aise avec la vie spartiate que nous menions là-haut. J'en sus plus sur elle à la barma qu'au cours des deux mois où nous avions couché ensemble. Elle avait grandi dans un endroit pareil à celui-là, où elle se lavait à l'eau froide et se séchait devant le feu ; elle venait d'autres montagnes qu'elle avait quittées il y a des années pour étudier et qui, maintenant, lui manquaient. Ce n'est pas qu'elle regrettait d'être allée s'installer en ville. Elle avait le sentiment d'avoir vécu une histoire d'amour avec Turin, avec les rues, les gens, les nuits, les emplois qu'elle y avait exercés et les maisons qu'elle avait habitées, une histoire longue et belle, mais qui touchait à sa fin.

Je lui dis que je la comprenais bien. Qu'il m'était arrivé quelque chose de semblable, à moi aussi. Elle me lança un regard triste, mêlé de reproche et de regret. L'après-midi, je la vis descendre au lac, se déshabiller sur la rive, entrer dans l'eau et nager jusqu'à ce bloc pareil à un écueil, et je me dis un moment que je l'avais peut-être écartée trop vite. Puis je me rappelai dans quel état j'étais quand j'étais en couple, et cessai d'y penser.

Ce soir-là, j'invitai Bruno à dîner. Il était en retard d'un an sur son programme, à cause des prêts et des autorisations qui lui avaient fait perdre du temps, mais il aurait bientôt fini de rénover l'alpage. Il ne pensait qu'à ça. Depuis trois ans, il faisait des bras de fer avec les employés de banque et les fonctionnaires communaux, cumulait deux emplois l'hiver pour gagner l'argent qu'il dépensait l'été, et était dans le même état de concentration absolue, proche de l'obsession, que je lui avais connu pendant ma saison d'ouvrier. Il passa toute la soirée à nous parler d'étables aux normes, de locaux propres à la production du fromage et de caves pour l'affinage, d'équipement en cuivre et en acier, de carrelage lavable dans les vieilles baite. Autant de discours que je connaissais par cœur, mais pas Lara, à qui toute cette fougue était en grande partie destinée. Il me faisait rire, mon vieil ami Bruno, parce que je ne l'avais encore jamais vu tenter d'impressionner une femme. Il choisissait des mots plus recherchés qu'à l'accoutumée, faisait de grands gestes et se tournait souvent vers elle pour contrôler ses réactions.

« Tu lui plais, lui dis-je, quand il fut parti.

— Qu'est-ce que t'en sais, toi ?

— Ça fait vingt ans que je le connais. C'est mon meilleur ami.

— Je ne savais pas que t'avais des amis, dit Lara. Je croyais que tu te défilais dès que t'en voyais un. »

Je ne relevai pas. Essuyer son sarcasme était la moindre des choses. Il faut du style, même quand on se fait quitter, et Lara, elle en avait.

Je me préparais à partir pour une mission, cet automne-là, quand Bruno m'appela à Turin. C'était la première fois que j'allais dans l'Himalaya et j'étais dans tous mes états. Entendre sa voix au téléphone me surprit, un peu parce que aucun de nous n'était à l'aise avec ces appareils, un peu parce que ma tête était déjà à des milliers de kilomètres.

Il alla droit au but : Lara venait de lui rendre visite. Lara ? pensai-je. Nous ne nous étions plus revus depuis notre séjour ensemble en montagne. Elle était remontée seule, cette fois, avait voulu visiter l'alpage et savoir où il en était dans ses projets professionnels. Bruno lui avait raconté qu'il comptait lancer l'exploitation au printemps, il prévoyait d'acheter une trentaine de vaches et de ne vendre son lait à personne pour pouvoir produire son propre fromage, et il prévoyait donc d'engager quelqu'un. C'était ce qu'elle espérait entendre : l'endroit lui plaisait, les vaches, elle avait grandi avec, et elle s'était aussitôt proposé de venir travailler.

Bruno était flatté, mais pas tranquille. Il n'avait pas envisagé la présence d'une femme. Quand il me demanda ce que j'en pensais, je lui dis : « À mon avis, elle est tout à fait capable. Elle a la tête dure.

— Ça, j'avais compris, dit Bruno.

— Alors quoi ?

— Ce que je n'ai pas compris, c'est où vous en êtes, tous les deux.

— Ah, dis-je, je ne sais pas. Ça doit faire deux mois qu'on ne se voit plus.

— Vous vous êtes disputés ?

— Non. Il n'y a rien entre nous, je serais même heureux qu'elle monte s'installer chez toi.

— T'es sûr ?

— Certain. Ça ne me pose aucun problème.

— Alors, tant mieux. »

Il me salua et me souhaita bon voyage. En voilà un homme d'un autre temps, pensai-je. Qui de nos jours demanderait la permission de faire ce qu'il comptait faire ? Quand je raccrochai, je savais déjà à quoi m'en tenir. J'étais heureux pour lui. Et pour elle aussi. Puis j'arrêtai de penser à Bruno, à Lara et à tous les autres, et commençai à préparer mon sac à dos pour l'Himalaya.

Le premier voyage au Népal fut un voyage dans le temps. À une journée de voiture de Katmandou, et moins de deux cents kilomètres de sa foule, commençait une vallée étroite, escarpée, boisée, avec un fleuve qu'on ne voyait pas mais qui grondait tout en bas, les villages construits mille mètres plus en hauteur, là où les pentes s'adoucissaient au soleil. Des chemins muletiers les reliaient les uns aux autres, faits de montagnes russes et de frêles ponts de corde jetés au-dessus des torrents qui coupaient les flancs de la vallée comme autant de lames. Autour des villages, toute la montagne était terrassée de rizières. De profil, on aurait dit une volée d'escaliers aux marches arrondies, bordés de murets à sec, éclatés en milliers de propriétés. Octobre était la saison de la moisson et, pendant mon ascension, j'observais les paysans s'affairer : les femmes fauchaient, agenouillées dans les champs ; les hommes battaient les panicules dans les cours pour séparer les grains de la paille. Le riz séchait sur des toiles où d'autres femmes plus âgées que les premières le passaient minutieusement au tamis. Des enfants, il y en avait partout. J'en vis deux labourer un champ comme si c'était un jeu, en accablant de cris et de coups de baguette deux bœufs efflanqués, et je repensai au bâton jaune de Bruno la première fois que nous nous étions rencontrés. Lui aussi aurait bien aimé le Népal. Là-bas, il y avait encore les charrues en bois, les pierres de fleuve pour affûter les faux et les hottes tressées sur le dos des porteurs. Même si je voyais des baskets aux pieds des paysans et entendais le bruit des télévisions et des radios sortir de leurs bicoques, j'avais l'impression d'avoir retrouvé vivante la civilisation de montagnards qui, chez nous, s'était éteinte. Je ne vis pas l'ombre d'une maison en ruine le long du sentier.

Je remontais la vallée avec quatre alpinistes italiens en partance pour l'Annapurna. J'allais partager pendant quelques semaines une tente avec eux, et ma caméra. C'était une mission bien payée, et j'y avais tout de suite vu une aubaine. J'étais curieux de tourner un documentaire sur l'alpinisme, de voir ce qui arriverait à un groupe d'hommes dans des conditions extrêmes. Mais ce que je découvrais à mesure que nous nous approchions du camp de base me fascinait encore plus. J'avais déjà décidé que je resterais un peu, après l'expédition, et partirais de mon côté faire un tour à basse altitude.

Le deuxième jour de marche, au fond de la vallée, apparurent les sommets de l'Himalaya. Je vis alors ce qu'avaient été les montagnes à l'aube du monde. Montagnes acérées, coupantes, comme si la Création venait à peine de les sculpter et que le temps ne les avait pas encore émoussées. Leurs neiges illuminaient la vallée du haut de leurs six ou sept mille mètres d'altitude. Les cascades tombaient des surplombs et creusaient les parois de roche, arrachaient aux pentes des coulées de terre rougeâtres qui s'en allaient bouillonner dans le fleuve. Plus haut, détachés de ce tumulte, les glaciers montaient la garde. C'est là-haut que l'eau naît, m'avait dit l'homme aux moustaches blanches. Au Népal aussi, ils devaient le savoir, puisqu'ils avaient baptisé leur montagne du nom de la déesse de la récolte et de la fertilité. Sur le sentier, il y avait de l'eau partout où on posait les yeux : l'eau des torrents, des fontaines, des canaux, l'eau des lavoirs où les femmes faisaient la lessive, l'eau que j'aurais aimé voir au printemps, inondant les rizières et transformant la vallée en une myriade de miroirs.

J'ignore si les alpinistes avec qui je marchais remarquaient ces choses. Ils étaient impatients de laisser les villages derrière eux et de planter piolets et crampons dans le glacier qui resplendissait là-haut. Moi, pas. Je marchais avec les porteurs, pour pouvoir leur demander ce que je ne comprenais pas : quels légumes on faisait pousser dans les potagers, quel bois on brûlait pour se chauffer, à qui étaient dédiés les petits temples que nous croisions sur le chemin. Dans les forêts, il n'y avait pas de sapins ni de mélèzes, mais de curieux arbres tordus que je n'aurais pas reconnus si quelqu'un ne m'avait pas dit que c'étaient des rhododendrons. Des rhododendrons ! La plante préférée de ma mère, parce qu'elle ne fleurissait que quelques jours, au début de l'été, teintant la montagne de rose, de lilas, de violet, donnait au Népal des arbres de cinq à six mètres de haut dont l'écorce noire tombait en écailles et les feuilles étaient aussi huileuses que celles du laurier. Plus loin, au sortir de la forêt, ce n'étaient pas des saules ou des genévriers que je vis apparaître mais une cannaie de bambous. Des bambous ! pensai-je. Des bambous à trois mille mètres. Des gamins passaient avec des bouquets de cannes qui ondoyaient sur leurs épaules. Dans les villages, ils s'en servaient pour construire les toits, en les coupant dans le sens de la longueur et en superposant les deux moitiés alternées, une concave et une convexe, pour permettre à l'eau de s'écouler à la saison des moussons. Les murs étaient en pierre, et recouverts de boue. De leurs maisons, je savais déjà tout.

Dans chaque petit temple que nous croisions, les porteurs déposaient un caillou ou une pousse récupérés dans le bois, et ils me conseillèrent de faire de même. Nous entrions en terre consacrée et, de là jusqu'au sommet, il était interdit de tuer et de manger des animaux. Je ne vis plus de poules autour des maisons, ni de chèvres qui paissaient. Il y avait d'autres bêtes sauvages qui broutaient à flanc de montagne, leur poil si long qu'il touchait terre, et les porteurs me dirent que c'étaient des moutons bleus de l'Himalaya. Une montagne avec des moutons bleus, des singes qui ressemblaient à des babouins et que j'apercevais entre les cannes de bambous, et contre le ciel, lentes, les silhouettes lugubres des vautours. Il n'empêche, je me sentais à la maison. Ici aussi, me dis-je, là où le bois se termine et où il ne reste plus que prés et pierrailles, je suis à la maison. C'est l'altitude à laquelle j'appartiens, celle qui fait que je me sens bien. Je pensais à ça quand je foulai la première neige.

Je revins à Grana un an plus tard, avec une guirlande de drapeaux de prières que je suspendis entre deux mélèzes, et que je pouvais voir de ma fenêtre. Ils étaient bleus, blancs, rouges, verts et jaunes – le bleu pour l'éther, le blanc pour l'air, le rouge pour le feu, le vert pour l'eau, le jaune pour la terre – et contrastaient avec l'ombre du bois. Je les observais souvent, l'après-midi, pendant qu'ils se liaient d'amitié avec le vent des Alpes et dansaient entre les branches des arbres. Le souvenir que je gardais du Népal était pareil à ces bouts de tissu : vif, chaleureux, et mes vieilles montagnes me parurent cette fois-là plus désolées que jamais. Je partais marcher et ne voyais rien d'autre que de vieilles cahutes et des ruines.

Il y avait pourtant du nouveau à Grana. Bruno et Lara étaient ensemble depuis un moment, maintenant : ils n'eurent pas à me faire de dessin. Lui me sembla plus sérieux qu'avant, comme certains hommes le deviennent parfois quand une femme entre dans leur vie. Elle, par contre, resplendissait de bonheur, débarrassée qu'elle était de la poussière de la ville et de cette résignation que je lui avais connue et dont je ne voyais plus nulle trace. Elle avait un rire sonore et la peau rougie par la vie au grand air. Bruno l'adorait. Là encore, je découvrais une version de mon ami que je ne connaissais pas. À table, le premier soir, pendant que je racontais mon voyage, il n'arrêtait pas de la toucher, de la caresser, de profiter de n'importe quel prétexte pour poser une main sur sa jambe ou son épaule, et même lorsqu'il me parlait il restait constamment en contact physique avec elle. Lara paraissait moins anxieuse, plus sûre d'elle en sa présence. Il lui suffisait d'un geste ou d'un regard pour la rassurer, et c'était tout un : *T'es là ? Oui je suis là. Vraiment ? Puisque je te le dis.* Les amoureux, pensai-je : heureusement qu'il y en a dans ce monde, mais quand tu as le malheur d'être dans la même pièce qu'eux, ils ont le don de te faire sentir de trop.

L'hiver dernier, il n'avait pas beaucoup neigé, et Bruno décida de monter à l'alpage, ou en montagne, comme il disait, dès le premier samedi de juin. Ce jour-là, je lui prêtai moi aussi main-forte. Il avait acheté vingt-huit vaches laitières, toutes déjà pleines, qu'une bétaillère avait livrées sur la place de Grana. Le voyage les avait rendues nerveuses, et elles dégringolèrent des glissières en meuglant et en s'envoyant des coups de corne. Elles seraient parties de tous les côtés si Bruno, sa mère, Lara et moi, postés aux quatre coins de la place, ne les avions pas contenues et tranquillisées. Le camion repartit. Avec deux chiens noirs de la dynastie des bergers de Grana, nous commençâmes à remonter le chemin muletier, Bruno en tête qui appelait – *Oh, oh, oh ! Hé, hé, hé !* –, sa mère et Lara le long du cortège, et moi tout derrière, à ne rien faire et à profiter du spectacle. Les chiens connaissaient le travail par cœur et couraient après les vaches qui s'attardaient, en leur aboyant dessus et en les mordant aux mollets jusqu'à ce qu'elles rentrent dans le rang. Les jappements des chiens, les beuglements de protestation des vaches et le tintamarre des sonnailles couvraient tous les autres bruits, et j'avais l'impression d'assister à un défilé de carnaval, ou à une résurrection. Le troupeau remontait la vallée, passant devant les baite effondrées, les murets éventrés par les ronces, les souches grises des mélèzes abattus, comme du sang recommence à circuler dans les veines d'un corps, et le ramène à la vie. Je me demandais si les renards et les chevreuils, qui suivaient certainement nos faits et gestes dans le bois, réussissaient, à leur manière, à partager ce sentiment de fête que, pour ma part, je ressentais.

Dans la montée, Lara s'approcha de moi. Nous n'avions pas encore eu l'occasion de parler seuls, elle et moi, mais je crois que nous étions tous les deux d'avis que la chose s'imposait. Je me demande bien pourquoi elle choisit justement ce moment-là, quand chaque mot devait être crié dans la poussière qui nous cernait. Elle me sourit, et dit : « Qui aurait imaginé ça, il y a un an, hein ? »

Il y a un an, où étions-nous ? pensai-je. Ah oui, c'est vrai, peut-être dans un bar de Turin. Ou dans son lit.

« Tu es heureuse ? lui demandai-je.

— Très ! dit-elle, souriant de nouveau.

— Dans ce cas, je ne peux que l'être moi aussi », dis-je, et je savais que nous ne reviendrions plus sur la question.

Dans les prés, ces jours-là, la dent-de-lion fleurissait. Tous les pétales s'ouvraient en même temps, au petit matin, et une couche de jaune vif passait alors sur la montagne, comme si le soleil lui-même l'inondait. Les vaches étaient friandes de ces fleurs sucrées. Quand nous arrivâmes à l'alpage, elles se jetèrent sur le pâturage comme à un banquet. En automne, Bruno l'avait débarrassé de tous les arbustes qui l'infestaient, et il ressemblait de nouveau à un beau jardin.

« Tu ne mets pas la clôture ? demanda sa mère.

— La clôture, ce sera pour demain, dit-il. Aujourd'hui, je les laisse faire la fête.

— Elles vont gâcher l'herbe, protesta-t-elle.

— Mais non, dit Bruno. Elles ne vont rien gâcher du tout, t'en fais pas. »

Sa mère secoua la tête. Depuis que je la connaissais, je ne l'avais jamais entendue parler autant que ce jour-là. Elle était montée en boitant, à cause d'une jambe qu'elle ne pouvait plus plier et qu'elle traînait un peu, mais d'un bon pas. Je n'arrivais pas à voir à quel point elle était maigre : elle disparaissait sous ses amples habits, et elle regardait tout, contrôlait tout, conseillait et critiquait, pour que chaque chose soit faite comme il fallait.

Les trois baite semblaient avoir retrouvé un autre âge de leur vie. Une maison, une étable et une cave avec les murs et le toit en pierre, reconstruites dans les règles de l'art, alors même qu'elles renfermaient les locaux d'une entreprise tout ce qu'il y a de plus moderne. Bruno entra dans la cave et en ressortit avec une bouteille de blanc, et je me rappelai le même geste qu'avait eu son oncle tant d'années en arrière. C'était lui, le maître des lieux, à présent. Nous n'avions rien pour nous asseoir. Lara dit que nous construirions une grande table pour manger dehors, mais en attendant nous trinquâmes debout, devant le portail de l'étable, observant les vaches qui prenaient leurs marques dans la montagne.

X

Bruno s'obstinait à traire les vaches à la main. Pour lui, c'était la seule façon qui convenait à ces bêtes délicates qu'un rien rendait nerveuses ou effrayait. Il lui fallait près de cinq minutes pour tirer cinq litres de lait à chacune. C'était un bon rythme, mais ça faisait quand même douze vaches par heure, soit deux heures et demie de travail pour toute la traite. Celle du matin le sortait du lit quand il faisait encore nuit. L'alpage ne connaissait ni samedi ni dimanche, et Bruno ne se rappelait plus ce que c'était de dormir tard, ou de rester sous la couette avec sa compagne. Il aimait pourtant ce rite, jamais il ne l'aurait confié à d'autres. Il traversait les heures entre la nuit et le jour dans la tiédeur de l'étable, émergeant du sommeil en plein travail, et traire les vaches était comme les réveiller en les caressant l'une après l'autre, jusqu'à ce que le parfum des prés et le chant des oiseaux leur parviennent, et qu'elles commencent à s'ébrouer.

Lara le rejoignait à sept heures avec une tasse de café et des biscuits. C'était elle qui sortait le troupeau deux fois par jour. Lui, il versait les cent cinquante litres de lait du matin par-dessus les cent cinquante autres du soir qui avaient écrémé pendant la nuit. Il allumait le feu sous la chaudière, ajoutait la présure, et vers neuf heures le mélange était prêt pour être égoutté dans les toiles et pressé dans les moules en bois. Cinq ou six moules en tout : de ses trois cents litres de lait, il obtiendrait à peine plus de trente kilos de tomme.

C'était là que se jouait tout le mystère pour Bruno, qui ne savait jamais à quoi s'attendre. Que la tomme se fasse ou pas, et qu'elle soit bonne ou aigre, lui semblait dépendre d'une alchimie sur laquelle il n'avait aucun pouvoir. Tout ce qu'il savait faire, c'était bien traiter ses vaches et exécuter chaque geste comme on le lui avait appris. Avec la crème, il faisait du beurre, puis lavait la chaudière, les bidons, les seaux, le local de fabrication et même l'étable, ouvrant les fenêtres en grand et faisant s'écouler le fumier par les canaux.

À ce stade-là, il était midi. Il mangeait un morceau et se jetait au lit une heure, rêvait d'herbe qui ne poussait pas ou de vaches qui ne donnaient pas de lait ou de lait qui ne caillait pas, se levait avec l'idée de construire un enclos pour les veaux ou de creuser un canal là où les pluies embourbaient le terrain. À quatre heures, il fallait rentrer les vaches pour la deuxième traite. À sept heures, Lara les ressortait et à partir de là elle prenait le relais, tout le travail avait été fait, la vie dans l'alpage ralentissait et entrait dans le calme du soir.

Bruno me racontait alors son travail. Nous nous asseyions dehors en attendant le coucher du soleil, avec un demi-litre de vin rouge pour nous tenir compagnie. Nous observions tous ces pâturages maigres sur l'envers où, un jour, nous étions allés chercher les chèvres. Quand le ciel s'assombrissait, une brise se levait du fond de la vallée, tout de suite plus froide de quelques degrés. Elle portait avec elle des odeurs de mousse et de terre humide, et peut-être aussi celle d'un chevreuil qui se promenait à l'orée du bois. L'un des chiens le flairait et abandonnait le troupeau pour lui courir après – seulement un des deux, et pas toujours le même, comme s'ils s'étaient mis d'accord entre eux sur les tours de chasse et de garde. Les vaches étaient calmes, à présent. Les sonnailles nous arrivaient plus rarement, prenaient des tons graves.

Avec moi, Bruno n'avait pas envie de penser aux questions pratiques. Il ne me parlait jamais de dettes, de factures, d'impôts, de remboursements de prêts. Il préférait me parler de ses rêves, ou de ce sentiment d'intimité physique qu'il ressentait pendant la traite, ou du mystère du caillement.

« La caillette, c'est un petit morceau de l'estomac du veau, m'expliqua-t-il. Imagine-toi : ce que le veau a dans son estomac pour mieux digérer le lait, nous, on le prend et on s'en sert pour faire du fromage. C'est logique, non ? N'empêche, c'est quand même fou, sans ce bout d'estomac, le fromage ne prend pas.

— Je me demande bien à qui on doit cette découverte, dis-je.

— À l'homme sauvage.

— L'homme sauvage ?

— Pour nous, c'est un homme qui vivait dans les bois, il y a longtemps. Cheveux longs, barbe, couvert de feuilles des pieds à la tête. Il faisait parfois le tour des hameaux et les gens avaient beau en avoir peur, ils lui laissaient quelque chose à manger dehors, pour le remercier de nous avoir appris à utiliser la présure.

— Il ressemble à un arbre ?

— Un peu à une bête, un peu à un homme, un peu à un arbre.

— Et en dialecte, comment on l'appelle ?

— *Omo servadzo.* »

Venaient neuf heures. Dans le pré, les vaches n'étaient guère plus que des ombres. Lara aussi en était une, dans son manteau de laine. Elle se tenait debout, immobile, et veillait sur son troupeau. Si une vache s'éloignait trop des autres, elle l'appelait par son nom, et le chien se précipitait pour la ramener sans attendre qu'on lui en donne l'ordre.

« Et elle existe aussi, la femme sauvage ? »

Bruno lut dans mes pensées : « Elle a du mérite, dit-il. Elle est forte, elle ne baisse jamais les bras. Tu sais ce que je regrette ? De ne pas pouvoir passer plus de temps avec elle comme je le voudrais. On a trop à faire. Je me lève à quatre heures du matin, et le soir je pique du nez dans mon assiette.

— L'amour, c'est pour l'hiver », dis-je.

Bruno rit : « Tu ne crois pas si bien dire. J'en connais pas tant que ça, moi, des montagnards nés au printemps. On naît tous en automne, comme les veaux. »

C'était la première fois que je l'entendais parler de sexe. « Et quand est-ce que tu l'épouses ? demandai-je.

— Si ça ne tenait qu'à moi, ce serait déjà fait. C'est elle qui ne veut pas entendre parler de mariage. Ni à l'église, ni à la mairie, rien. C'est vos idées de la ville, ça. Va comprendre. »

Nous finissions le vin, puis nous levions pour aller à l'étable avant qu'il ne fasse nuit noire. Lara rassemblait le troupeau avec l'aide d'un des chiens, et l'autre rappliquait, déboulant d'on ne savait où, rappelé à son devoir par le bruit des sonnailles. Sans se presser, les vaches formaient une file qui remontait le pré et faisait halte à l'abreuvoir. Une fois à l'étable, chacune d'elles regagnait sa place pour la nuit, Bruno atta-chait leurs colliers, et moi j'accrochais leurs queues à une ficelle pour éviter qu'elles se salissent trop en se couchant. Il y avait un nœud pour cela que j'avais appris à faire en un tour de main. Nous fermions le portail et allions dîner pendant que les vaches com-mençaient à ruminer dans l'obscurité.

Plus tard, je rentrais à la barma à la lumière de ma frontale. Il y avait bien de la place pour trois, à l'alpage, et Bruno et Lara me proposaient toujours de rester dormir, mais quelque chose me poussait à les quitter et à prendre le sentier qui montait au lac. C'était comme si je cherchais à garder cette petite famille à bonne distance, comme si m'éloigner était une façon de les respecter eux, et de me protéger moi.

Ce que je tenais à protéger, c'était ma capacité à rester seul. Il m'avait fallu du temps pour m'habituer à la solitude, en faire un lieu où je pouvais me laisser aller et me sentir bien, mais je sentais que notre rapport était toujours aussi compliqué. Je rentrais à la maison comme pour regagner cette assurance. Si le ciel n'était pas couvert, je ne tardais pas à éteindre ma lampe. J'avais bien assez d'un quart de lune et des étoiles pour deviner le chemin parmi les mélèzes. Plus rien ne bougeait à cette heure-là, sinon mes jambes et le torrent, qui continuait de gronder et de gargouiller pendant que le bois dormait. Dans le silence, sa voix se faisait cristalline et je pouvais distinguer les nuances de chaque méandre, rapide, cascade, plus doux sur le coussin de végétation, et plus sec sur la pierraille.

En haut, le torrent se taisait à son tour. C'était là qu'il disparaissait sous les rochers et continuait son cours sous terre. J'arrivais alors à entendre un bruit beaucoup plus sourd, celui du vent qui soufflait dans la combe. Le lac était un ciel nocturne en mouvement : le vent poussait d'une rive à l'autre des myriades de vaguelettes, lueurs d'étoiles qui s'éparpillaient sur l'eau noire le long de lignes de force, s'éteignaient et se rallumaient, changeaient tout à coup de direction. Je me tenais immobile à observer ces dessins. J'avais l'impression de pouvoir saisir la vie de la montagne quand l'homme n'y était pas. Je ne la dérangeais pas, moi, j'étais un invité bien accepté ; et je savais qu'en sa compagnie il était impossible que je me sente seul.

Un matin de fin juillet, je descendis au village avec Lara. Je retournais passer quelque temps à Turin, et elle descendait les premières tommes après six semaines d'affinage. Avec nous, il y avait une bête de somme que Bruno avait prise exprès, non pas le mulet gris avec lequel je transportais le ciment des années plus tôt, mais une mule au poil épais et sombre, plus petite et mieux adaptée à la vie d'alpage. Il lui avait fait un bât en bois sur lequel il empila douze formes, une soixantaine de kilos en tout, la première précieuse cargaison qui gagnait la vallée.

C'était un moment historique pour lui comme pour nous. Après avoir attaché fermement le bât, il donna un baiser à Lara, une claque sur le flanc de la mule et m'adressa un signe de la main en disant : « Berio ! Tu connais le chemin. » Il nous salua et partit nettoyer l'étable. Comme pour le chantier, il avait décidé que le transport n'était pas son affaire : le montagnard reste sur sa montagne, sa femme monte et descend avec la marchandise. Il ne descendrait qu'à l'hiver, quand ils fermeraient l'alpage.

Nous empruntâmes le sentier en file indienne, moi le premier, Lara et la mule derrière, et le chien qui la suivait toujours à la trace pour fermer la marche. Au début, la mule devait s'habituer à son chargement et avançait d'un pas hésitant. Il fallait se montrer plus prudent dans les descentes que dans les montées avec elle, parce que le bât la déséquilibrait sur les antérieures et, quand la pente était plus raide, il fallait l'aider en tenant fermement la corde qu'elle avait au cou. Mais après, à l'autre bout de la prairie, le sentier traversait le torrent et s'aplanissait. C'était à cet endroit précis que j'avais regardé Bruno disparaître sur sa moto, avant de le perdre de vue pendant toutes ces années. Arrivés là, Lara et moi pouvions continuer côte à côte, avec le chien qui entrait et sortait du bois à la poursuite de sauvages, et la mule qui nous emboîtait le pas. Son souffle et le bruit de ses sabots devinrent une présence tranquille dans notre dos.

« Pourquoi il t'appelle comme ça, parfois ? dit Lara.

— Comme ça comment ?

— Berio.

— Ah, c'est pour me rappeler quelque chose, je crois. C'est le nom qu'il me donnait quand on était gamins.

— Et c'est censé te rappeler quoi ?

— Ce chemin. Combien de fois j'ai pu le prendre, bon sang. En août, je montais de Grana tous les jours et, lui, il abandonnait son pré pour s'échapper avec moi. Son oncle lui envoyait de sacrées paires de claques, après, mais il s'en fichait. C'était il y a vingt ans. Et voilà que maintenant on descend ses tommes. Tout a changé, et rien n'a changé.

— Qu'est-ce qui a changé le plus ?

— L'alpage, bien sûr. Et le torrent. Il ne ressemblait pas du tout à ça, avant. On jouait là-bas, tu sais ?

— Oui, dit Lara. Le jeu du torrent. »

Je restai sans rien dire un moment. En repensant au sentier, je m'étais rappelé cette première fois avec mon père, quand nous étions allés faire connaissance avec l'oncle de Bruno. Pendant que Lara et moi descendions, j'imaginai voir monter du passé un petit enfant suivi de son père. Le père portait un gros pull rouge et un pantalon de zouave, soufflait comme un bœuf et disait à son fils d'avancer. Bonjour ! pensai-je lui dire. Il va vite, le petit ! Qui sait si mon père se serait arrêté pour saluer cet homme descendu du futur, avec une femme, une mule, un chien et une cargaison de tommes.

« Bruno se fait du souci pour toi, dit Lara.

— Comment ça, pour moi ?

— Il dit que tu es tout le temps seul. Il pense que tu ne vas pas bien. »

J'éclatai de rire : « Vous parlez de ça, tous les deux ?

— Ça nous arrive.

— Et toi, qu'est-ce que t'en penses ?

— Je ne sais pas. »

Elle réfléchit un temps avant de revenir sur sa réponse : « Je pense que tu l'as bien cherché. Et que tôt ou tard tu en auras assez d'être seul et tu finiras par trouver quelqu'un. Mais c'est toi qui as choisi de faire cette vie, alors je n'ai rien à dire.

— Juste », dis-je.

Puis, sur le ton de la plaisanterie, j'ajoutai : « Et tu sais ce qu'il m'a raconté, à moi ? Qu'il t'a demandé en mariage et que tu n'as rien voulu savoir !

— Avec un fou pareil ! répondit-elle en riant. Jamais de la vie !

— Pourquoi ?

— Tu me vois me marier avec quelqu'un qui ne veut jamais descendre de sa montagne ? Quelqu'un qui a dépensé toutes ses économies pour rester là-haut à faire son fromage ?

— C'est si grave que ça ?

— T'as qu'à voir : ça fait un mois et demi qu'on travaille, et c'est tout ce qu'on a », dit-elle en indiquant les tommes.

Elle devint sérieuse. Resta un bon moment sans rien dire, à penser à ce qui la tracassait. Nous étions presque arrivés quand elle lâcha : « J'aime profondément ce qu'on fait. Même quand il pleut à longueur de journée et que je me retrouve à garder les vaches sous des trombes d'eau. Ça me calme tellement, j'ai l'impression de pouvoir penser pleinement aux choses, et au final je me rends compte que beaucoup n'ont plus aucune importance. Financièrement, c'est une folie. Mais je ne troquerais ma vie pour rien au monde. C'est celle-là que je veux. »

Il y avait un petit fourgon blanc, sur l'esplanade de Grana, entre un tracteur et une bétonnière, et ma voiture qui n'avait pas décollé depuis un mois. Deux ouvriers creusaient un fossé sur le bas-côté de la route. Un homme que je n'avais jamais vu nous attendait. Il avait la cinquantaine, et rien de particulier dans son apparence, hormis le fait que c'était étrange de voir des voitures, des moteurs, du goudron et des vêtements propres après toutes ces journées passées en montagne avec le bétail.

J'aidai Lara à descendre les tommes du bât, et l'homme les contrôla une à une, tripotant leur croûte, les reniflant, les tapotant du bout des doigts pour voir s'il n'y avait pas de bulles d'air qui s'étaient formées à l'intérieur. Il eut l'air satisfait. Dans le fourgon, il avait une balance et, en chargeant les tommes, il les pesa, reporta le poids sur un registre et la somme correspondante sur un reçu qu'il remit à Lara. C'est sur ce bout de papier qu'étaient écrits leurs premiers gains. Je l'épiai pendant qu'elle lisait le montant, mais fus incapable de connaître sa réaction. Elle me salua derrière la vitre, puis reprit le sentier avec la mule et le chien ; ils disparurent dans le bois, à moins que ce soit le bois qui ait repris possession de ses créatures.

À Turin, je libérai l'appartement où j'avais habité pendant dix ans. J'y étais si rarement qu'il était devenu superflu mais, au moment de le quitter, j'éprouvai une certaine mélancolie. Je me rappelais bien ce qu'avait signifié m'y installer, quand la ville semblait remplie de promesses pour l'avenir. Je ne savais pas si c'était moi qui m'étais monté la tête ou elle qui ne les avait pas tenues, mais vider en une journée une maison que j'avais mis des années à remplir, sortir pêle-mêle les objets que j'avais apportés un à un, c'était comme récupérer une bague de fiançailles, se résoudre à la retraite.

Un ami me louait une chambre une bouchée de pain pour mes périodes turinoises. Le reste de mes cartons, je les chargeai dans ma voiture et les déposai chez ma mère à Milan. Vu de l'autoroute, le mont Rose émergeait au-dessus de la brume comme un mirage. En ville, la canicule faisait fondre l'asphalte et j'eus l'impression de déplacer en vain des affaires d'un endroit à un autre, de monter et descendre les cages d'escalier de tous ces immeubles en expiant je ne sais quelle faute que j'avais commise par le passé.

Ma mère était à Grana pendant cette période, et je passai plus d'un mois seul dans notre vieil appartement, le jour à faire la tournée des producteurs avec qui je travaillais, le soir à observer les voitures de la fenêtre, en imaginant le fleuve exsangue enterré sous le boulevard. Il n'y avait rien qui m'appartenait, rien à quoi j'avais le sentiment d'appartenir. Je cherchais des producteurs pour tourner une série de documentaires sur l'Himalaya qui me tiendrait occupé là-bas un moment. Il me fallut enchaîner rendez-vous sur rendez-vous avant de trouver quelqu'un qui soit prêt à m'accorder sa confiance ; en fin de compte, j'obtins de quoi payer le voyage et à peine plus, mais ça me suffisait.

Quand je retournai à Grana, en septembre, il soufflait un vent froid et quelques cheminées dans le village fumaient. En descendant de voiture, je sentais que je portais sur moi une odeur que je n'aimais pas, au point qu'au début du sentier il fallut que je me lave le visage et le cou au torrent, et que je frotte un rameau vert de mélèze entre mes mains dans la forêt. C'étaient mes rites habituels, mais je savais qu'il me faudrait plusieurs jours avant de couper avec la ville pour de bon.

Le long du vallon, les pâturages commençaient à jaunir. Sur les terrains de Bruno, après le pont de bois, toute la rive du torrent avait été piétinée par les sabots du troupeau. Sur toute cette bande, il n'y avait plus d'herbe ; elle avait déjà été tondue à ras et amendée, et il restait des carrés de terre retournée que quelques vaches raclaient, les jours de mauvais temps, quand l'odeur des orages les agitait. Moi aussi, ce jour-là, je la sentais flotter dans l'air, mêlée à celle, plus forte, du fumier et au feu de bois qui sortait de la baita de Bruno. C'était l'heure où il faisait le fromage, et je préférai continuer tout droit et passer le voir une autre fois.

Derrière l'étable, j'entendis les sonnailles et vis Lara qui gardait les vaches plus haut, loin du sentier, sur les pentes où perdurait la dernière herbe ; je la saluai d'un signe de la main et elle, qui m'avait repéré depuis un bout de temps, me rendit mon salut en levant son parapluie fermé. Les premières gouttes tombaient et, après toutes ces nuits en proie à la chaleur et à des rêves agités, je sentais la fatigue me gagner. Tout ce que je voulais, c'était arriver à la barma, allumer le poêle et dormir. Il n'y avait rien de mieux qu'une longue nuit dans ma tanière sur la montagne pour me remettre à neuf.

Suivirent trois jours de brouillard durant lesquels je quittai peu la maison. Je restais à la fenêtre à observer la manière dont les nuages s'élevaient dans le vallon et s'insinuaient dans les bois, en s'immisçant entre les branches des mélèzes et en faisant pâlir mes drapeaux de prières jusqu'à les engloutir. Dans la barma, la basse pression avait raison du feu, et m'enfumait pendant que je lisais et écrivais. Je sortais alors dans le brouillard et descendais au lac pour me dégourdir les jambes. Je lançais un caillou qui disparaissait dans le néant bien avant de faire son bruit sourd, invisible, et j'imaginais des hordes de petits poissons curieux qui lui nageaient autour. Le soir venu, j'écoutais quelque radio suisse en pensant à l'année qui m'attendait. C'était un état d'incubation idéal pour les grandes entreprises.

Le troisième jour, quelqu'un frappa à la porte. C'était Bruno. Il dit : « C'est donc vrai, que t'es de retour. Tu viens en montagne ?

— Maintenant ? » m'étonnai-je, vu que dehors tout était blanc. Il devait être midi, mais il aurait pu être n'importe quelle heure de la journée.

« Viens, j'ai un truc à te montrer.

— Et les vaches ?

— T'inquiète, elles vont pas mourir. »

Nous nous mîmes donc en chemin, en remontant la pente le long du sentier qui menait au lac supérieur. Bruno avait ses bottes en caoutchouc et il était couvert de fumier jusqu'aux cuisses. Tout en marchant il me raconta qu'il avait dû descendre dans la fosse à purin récupérer une vache qui avait basculé dedans à cause du brouillard. Il rit. Il marchait à une telle allure que j'avais du mal à le suivre. La vipère lui avait mordu un chien, dit-il : il s'en était aperçu parce qu'il le voyait toujours près de l'eau, qui n'arrêtait pas de boire, et en l'examinant il avait trouvé les trous de la vipère sur son ventre gonflé. Il se traînait par terre à un point que ça faisait de la peine, et Lara était à deux doigts de le prendre sur la mule pour le faire voir au vétérinaire, mais sa mère avait dit de lui donner du lait à volonté, rien que du lait, pas d'eau ni de nourriture. Il était guéri maintenant, et reprenait doucement des forces.

« Avec les bêtes, t'en apprends tous les jours », dit-il.

Il secoua la tête, puis recommença à monter de son pas qui m'éreintait. Jusqu'à l'autre lac, il continua de me parler vaches, lait, fumier, herbe, car depuis que j'étais parti, il s'était passé un tas de choses qu'il fallait que je sache. Il songeait à monter quelques lapins et des poules, pour plus tard, mais il devait d'abord construire de beaux clapiers et un poulailler solide parce qu'il y avait des renards dans les parages. Et des aigles. On croirait pas, dit-il, mais l'aigle est encore plus redoutable que le renard avec la basse-cour.

Il ne me demanda pas comment je m'en étais sorti à Turin ou à Milan. Il ne chercha pas à savoir ce que j'avais fabriqué tout le mois. Il parlait de renards et d'aigles et de lapins et de poules, et faisait mine que la ville n'existait pas, comme toujours, et que je n'avais pas d'autre vie à des kilomètres d'ici : notre amitié habitait cette montagne, et ce qui se passait dans la vallée n'y avait pas sa place.

« Et l'exploitation, comment ça va ? » demandai-je, pendant que nous reprenions notre souffle au bord du petit lac.

Bruno haussa les épaules : « Ça va, dit-il.

— Vous arrivez à tourner ? »

Il fit une grimace. Me regarda comme si j'avais soulevé une question douloureuse, pour le simple plaisir de lui ruiner la journée. Puis il me dit : « Les comptes, c'est Lara qui s'en occupe. J'ai bien essayé, mais je crois que je ne suis pas très doué pour ça. »

Nous traversâmes la pierraille au milieu d'un brouillard épais. Sans sentier, nous nous frayions chacun notre propre chemin. Nous n'y voyions pas assez pour suivre les cairns, et nous les perdîmes d'ailleurs tout de suite de vue, si bien que nous dûmes nous en remettre à la pente, à l'instinct, aux lignes que les rochers eux-mêmes suggéraient. Nous montions à l'aveugle, et j'entendais de temps à autre les cailloux que Bruno faisait dégringoler plus bas ou plus haut, devinais sa silhouette et le rejoignais. Si nous nous éloignions trop, l'un appelait : *oh ?* et l'autre répondait : *oh !* Nous ajustions constamment notre cap, tels deux bateaux en pleine purée de pois.

Jusqu'à ce que je me rende compte, à un moment donné, que la lumière changeait. Elle dessinait maintenant des ombres sur les blocs devant moi. Je levai les yeux, vis une pointe de bleu se glisser entre les volutes d'humidité qui se faisaient plus clairsemées, et en quelques pas j'étais dehors, je me retrouvai tout à coup entouré de soleil, le ciel de septembre au-dessus de la tête et la chape de nuages blancs à mes pieds. Nous avions largement dépassé les deux mille cinq cents mètres. De rares cimes émergeaient à cette altitude telles des chaînes d'îles, affleurements de dorsales submergées.

Je vis aussi que nous avions abandonné le chemin qui menait au sommet du Grenon, en tout cas le chemin classique. Au lieu de traverser la pierraille en reprenant la direction du col, je me mis en tête d'atteindre la crête au-dessus de moi et de tenter de prendre par celle-là. Je constatai que ça n'avait rien de compliqué. En grimpant, je fantasmai une première mondiale, à consigner dans les archives du Club alpin à côté du nom de son auteur : crête nord-ouest du Grenon, première ascension en solitaire, Pietro Guasti 2008. Mais non loin de là, sur un petit replat, je trouvai des boîtes de conserve rouillées, du pâté ou peut-être des sardines, les déchets qu'à l'époque, en montagne, on ne s'embêtait pas à ramener en plaine. Et je sus encore une fois qu'on m'avait précédé.

Un grand couloir séparait ma crête de celle de la voie normale, de plus en plus accidenté à mesure qu'on montait. Bruno l'avait pris, et je constatai qu'il avait mis au point une technique pour le moins originale sur les tronçons les plus accidentés : il posait les mains par terre et montait à quatre pattes, à toute vitesse, en choisissant ses appuis à l'instinct et sans jamais mettre de poids. Parfois, le terrain cédait sous ses pieds ou ses mains, mais il était déjà loin, et les cailloux continuaient leur dégringolade comme de petits éboulis en souvenir de son passage. *Omo servadzo*, pensai-je. J'arrivai avant lui et eus tout le loisir d'admirer son nouveau style du haut du sommet.

« Qui t'a appris à grimper comme ça ? lui demandai-je.

— Les chamois. Un jour, je les regardais, et je me suis dit que je devrais essayer moi aussi.

— Et ça marche ?

— Bof, je dois encore peaufiner ma technique.

— Tu le savais, qu'on sortirait des nuages ?

— Non, je l'espérais. »

Nous nous assîmes le dos contre le tas de cailloux au milieu duquel j'avais un jour trouvé les mots de mon père. Le soleil marquait chaque angle et chaque entaille, et en faisait autant sur le visage de Bruno. Il avait de nouvelles rides autour des yeux, des ombres sous les pommettes, des sillons que je ne me rappelais pas lui avoir vus. Sa première saison à l'alpage avait dû être rude.

Le moment me sembla bien trouvé pour lui parler de mon voyage. Je lui dis qu'à Milan j'avais trouvé des financements pour partir au moins une année. Je voulais visiter les quatre coins du Népal et parler des populations de ces montagnes. Il y en avait beaucoup, dans les vallées de l'Himalaya, toutes différentes les unes des autres. Je comptais partir en octobre, tout de suite après la mousson. J'avais un petit budget mais beaucoup de contacts qui travaillaient sur place m'aideraient et m'hébergeraient. Je lui confiai que j'avais quitté mon domicile à Turin, que je n'en avais plus aucun, ni n'en voulais, et si tout se passait bien au Népal, il était possible que je reste plus longtemps.

Bruno m'écouta en silence. Quand je finis de parler, il prit un moment pour réfléchir à tout ce qu'impliquait le discours que je venais de lui faire. En regardant le mont Rose, il me dit : « Tu te rappelles l'autre fois avec ton père ?

— Bien sûr que je me rappelle.

— J'y pense encore de temps en temps, tu sais ? La glace qu'on avait vue ce jour-là, tu crois qu'elle est arrivée au fond ?

— Ça m'étonnerait. Elle doit être à mi-route, encore.

— C'est aussi ce que je me dis. »

Puis il demanda : « L'Himalaya lui ressemble un peu ?

— Non, répondis-je. Pas du tout. »

C'était difficile à expliquer, mais je tenais quand même à essayer, et ajoutai : « Tu vois les grands monuments en ruine qu'il y a à Rome, à Athènes ? Ces temples anciens dont il ne reste plus qu'une colonne ou deux, et les murs effondrés par terre. Eh bien, l'Himalaya, c'est comme le temple original.

Débarquer là-bas, c'est comme voir enfin un temple en entier après avoir contemplé des ruines toute sa vie. »

Je regrettai aussitôt d'avoir parlé ainsi. Bruno observait les glaciers au-dessus des nuages et je me dis que pendant des mois je me le rappellerais ainsi, en gardien de ce tas de ruines.

Il se leva. « C'est l'heure de la traite, dit-il. Tu descends aussi ?

— Je crois que je vais rester un peu, répondis-je.

— T'as bien raison. Qui redescendrait, s'il avait le choix ? »

Il redescendit par le couloir d'où il était venu et disparut derrière les rochers. Je le revis quelques minutes plus tard, une centaine de mètres plus loin. Il y avait une coulée de neige en contrebas, toute tournée vers le nord, et il avait traversé la pierraille pour la fouler. Arrivé devant ce petit névé, il en testa la solidité avec le pied, leva les yeux dans ma direction, me salua, et je lui répondis d'un geste ample, pour qu'il puisse le voir d'où il était. La neige devait être bien glacée pour que Bruno n'ait qu'à sauter dessus pour prendre aussitôt de la vitesse : il descendit les pieds écartés, ses bottes de caoutchouc en guise de skis, en faisant des moulinets avec les bras pour ne pas perdre l'équilibre, et l'instant d'après le brouillard l'engloutit.

XI

Anita naquit en automne, comme les montagnards. Je n'étais pas là, cette année. Au Népal, j'étais entré en contact avec le monde des organisations non gouvernementales et collaborais avec quelques-unes d'entre elles. Je tournais des documentaires dans les villages où elles construisaient des écoles ou des hôpitaux, lançaient des projets pour l'agriculture ou le travail des femmes, et installaient parfois des camps pour les réfugiés tibétains. Tout ce que je voyais n'était pas forcément pour me plaire. Les directeurs de Katmandou n'étaient rien d'autre que des politiciens de carrière. Mais en montagne je croisais toutes sortes de gens, des vieux hippies aux étudiants en service civique international, des médecins bénévoles aux alpinistes qui, entre deux expéditions, s'arrêtaient pour travailler sur les chantiers. Même si cette humanité n'était pas à l'abri des ambitions et des conflits de pouvoir, elle ne manquait pas d'idéalisme. Et au milieu des idéalistes, moi, je me sentais bien.

J'étais dans le Mustang, en juin, un haut plateau aride aux confins du Tibet, fait de petites maisons blanches cramponnées à la roche rouge, quand ma mère m'écrivit pour me dire qu'elle revenait tout juste de Grana, où elle avait découvert que Lara était enceinte de cinq mois. Elle se sentit aussitôt rappelée à son devoir. Pendant tout l'été, elle m'envoya des comptes rendus qui avaient tout l'air de rapports médicaux : en juin, Lara s'était tordu la cheville quand elle était au pré, et elle avait boité pendant plusieurs jours ; en juillet, avec sa peau si pâle, elle avait eu une insolation en faisant les foins ; en août, même si ses jambes lourdes et son dos la faisaient souffrir, elle descendait encore les tommes avec la mule deux fois par semaine. Ma mère lui ordonnait de se reposer. Lara ne voulait rien savoir. Quand Bruno proposa de prendre quelqu'un pour la remplacer, elle protesta en disant que les vaches aussi étaient enceintes et qu'elles ne faisaient pas tant d'histoires ; ça la détendait même de les voir si peu inquiètes.

Moi, pendant ce temps-là, j'étais à Katmandou, en pleine saison de la mousson. Chaque après-midi, la ville était flagellée par une tempête. Alors, son débit insensé de mobylettes et de vélos s'arrêtait, ses hordes de chiens errants se réfugiaient sous les hangars, ses rues se transformaient en fleuves de boue et d'ordures, et moi je m'enfermais dans quelque cybercafé, devant un ordinateur vétuste, pour lire les dernières nouvelles. Ma mère m'étonnait. Je n'aurais su dire laquelle des deux m'impressionnait le plus, entre Lara qui s'apprêtait à accoucher à l'alpage, et cette autre femme de soixante-dix ans qui montait lui rendre visite à pied et une fois par mois l'accompagnait à l'hôpital. L'échographie du mois d'août établit sans l'ombre d'un doute que c'était une fille. Lara continua encore de sortir les bêtes quand son ventre ne lui permettait plus de faire rien d'autre que marcher devant le troupeau et s'asseoir sous un arbre pour le regarder.

Le dernier dimanche de septembre, avec leur robe brossée et lustrée, leur collier de cuir marqueté et leurs sonnailles de fête, les vaches descendirent dans la vallée pour une solennelle parade de fin de saison. Bruno les installa dans l'étable qu'il louait pour l'hiver, et il ne restait dès lors plus qu'à attendre. Il devait avoir fait un calcul de montagnard, pour que Lara accouche peu de temps après, comme s'il s'agissait là encore d'un travail saisonnier.

Je me rappelle où j'étais le jour où ma mère m'annonça la nouvelle : dans le bas du Dolpo, au bord d'un lac qui ressemblait à s'y méprendre à un lac alpin, encerclé de bois de sapins rouges et de petits temples bouddhistes, avec une fille que j'avais rencontrée à Katmandou. Elle travaillait dans un orphelinat de la ville, mais nous avions pris quelques jours de vacances pour être seuls en montagne. Dans un refuge sans poêle perché à trois mille cinq cents mètres d'altitude dont les murs n'étaient guère plus que des planchettes de bois peintes en bleu, nous avions uni nos deux sacs de couchage et nous étions serrés dedans. Par la fenêtre, j'observais le ciel étoilé et les cimes des sapins pendant qu'elle dormait. Au bout d'un moment, je vis surgir la lune. Je restai long-temps éveillé, à penser à mon ami Bruno qui était devenu père.

Quand je revins en Italie, en 2010, je trouvai le pays plongé dans une crise économique grotesque. Milan annonçait la couleur dès son aéroport à l'aban-don, avec quatre avions sur des kilomètres de pistes d'atterrissage et les vitrines des grands couturiers qui clignotaient dans les boutiques vides. Dans le train qui m'amenait en ville, réfrigéré par l'air condi-tionné qui soufflait ce soir de juillet, je ne vis que ter-rains vagues, chantiers, grues gigantesques, gratte-ciel aux silhouettes bizarres prendre forme à l'horizon. J'avais du mal à comprendre comment les journaux pouvaient écrire que les caisses étaient vides, quand à Milan comme à Turin je notais une frénésie immo-bilière digne des années fastes. Retrouver les vieux copains fut comme faire la tournée des hôpitaux : les maisons de production, les agences publici-taires et les chaînes télévisées avec lesquelles j'avais moi-même travaillé mettaient la clé sous la porte, et beaucoup se retrouvaient assis dans leur canapé à se tourner les pouces. À quarante ans ou presque, ils en étaient réduits à faire des petits boulots à la jour-née ou accepter de l'argent de leurs parents retraités. Mais regarde donc dehors, me dit l'un d'eux, tu ne vois pas qu'il pousse des immeubles de partout ?

Qui est en train de nous voler ce qui devait nous revenir ? Où que j'aille, je respirais cet air de dépit et de colère, ce sentiment de génération lésée. J'étais soulagé d'avoir déjà en poche le billet d'avion avec lequel je repartirais.

Quelques jours plus tard, je montai dans un autocar pour la montagne, en changeai à l'embouchure de la vallée et descendis devant le bar où, autrefois, ma mère et moi allions téléphoner, même s'il y avait bien longtemps que notre cabine rouge n'existait plus. Je fis le sentier à pied, comme avant. Le vieux chemin muletier coupait les zigzags de la route goudronnée et était englouti par les ronces et les feuillages, si bien qu'au lieu de vraiment le suivre, je me frayai un chemin de mémoire à travers le bois. Quand j'en ressortis, j'eus la surprise de voir qu'à côté des ruines de la tour une antenne-relais avait fait son apparition, et plus bas, dans la gorge, une digue de ciment arrêtait le cours du torrent. Le petit réservoir artificiel était rempli des boues de la fonte : un excavateur les filtrait et les déversait sur la rive, détruisant avec ses chenilles et son sable vaseux les prés où Bruno gardait les vaches quand il était enfant.

Puis, comme toujours, je dépassai Grana et eus l'impression de laisser tout le poison derrière moi. Comme sur l'Annapurna, quand on entre dans la vallée sacrée : sauf que là il n'y avait pas d'ordre religieux, c'était l'oubli qui gardait les choses intactes. Je retrouvai l'esplanade que Bruno et moi appelions *la scierie* quand nous étions gamins, parce qu'il restait deux rails et un chariot qui avaient servi on ne sait quand à transporter les planches pour la construction. Non loin de là partait un téléphérique, pour monter ces planches aux alpages, avec son câble en acier accroché à un mélèze que l'écorce avait englouti. Ils l'avaient oubliée parce qu'elle ne valait rien, ma montagne d'enfance, et c'était ce qui l'avait sauvée. Je ralentis le pas, comme le murmuraient les porteurs népalais en haute altitude : *Bistare, bistare.* Je ne voulais pas arriver trop vite. Chaque fois que je revenais, j'avais l'impression de revenir à moi-même, au lieu où j'étais moi et où je me sentais bien.

À l'alpage, ils m'attendaient pour midi. Bruno, Lara, la petite Anita qui n'avait pas un an mais jouait déjà sur une couverture au milieu du pré, ma mère qui ne la quittait pas un instant des yeux. Elle dit : « Tonton Pietro est arrivé, Anita, regarde ! » et elle me la mit aussitôt dans les bras pour que nous fassions connaissance. La petite m'étudia avec méfiance, fit de grands yeux devant ma barbe, la tira et émit un son que je ne compris pas, rit de sa découverte. Ma mère n'était plus la dame âgée que j'avais saluée en partant. Mais elle n'était pas la seule à avoir changé, tout l'alpage était plus animé que dans mes souvenirs : il y avait des poules et des lapins, la mule, les vaches, les chiens, un feu sur lequel une polenta et un ragoût mijotaient, la table mise dehors.

Bruno était si content de me voir qu'il me serra dans ses bras. Ce n'était pas dans nos habitudes, ce geste, et tandis qu'il m'embrassait, je pensai : quelque chose a changé ? Quand il m'eut lâché, je le regardai bien en face, en cherchant les rides, les cheveux gris, la marque des années sur son visage. J'eus l'impression qu'il en faisait de même pour moi. Étions-nous toujours les mêmes ? Puis il me fit m'asseoir à la place du chef et versa à boire, quatre verres à ras bord de vin rouge pour trinquer à mon retour.

J'avais perdu l'habitude de boire du vin et de manger de la viande et, très vite, je me sentis ivre de l'un comme de l'autre. Je parlais à bâtons rompus. Lara et ma mère se levaient à tour de rôle pour s'occuper d'Anita, jusqu'à ce que la petite commence à avoir sommeil, et il y eut un signe, je crois, ou quelque accord tacite entre elles, et ma mère la prit dans ses bras et s'éloigna en la berçant. Je leur avais apporté en cadeau une théière, des petites tasses et un paquet de thé noir, et le repas terminé, je leur préparai un thé à la façon tibétaine, avec du beurre et du sel, même si le beurre d'alpage n'était pas aussi fort et rance que celui des yaks. Pendant que je mélangeais, je racontai qu'au Tibet ils faisaient tout avec le beurre : ils le brûlaient dans les lampes, l'étalaient comme onguent sur les cheveux des femmes, en recouvraient les os pour les sépultures célestes.

« Quoi ? » dit Bruno.

J'expliquai alors que, sur les hauts plateaux, il n'y avait pas assez de bois pour incinérer les cadavres : le mort était dépouillé de sa peau et son corps laissé en haut d'une colline pour que les vautours le dépècent. Quelques jours après, on remontait, et il ne restait plus que les os. Le crâne et le squelette étaient alors réduits en morceaux et mélangés avec du beurre et de la farine pour être redonnés aux oiseaux.

« Quelle horreur, dit Lara.

— Pourquoi ? demanda Bruno.

— Non mais t'imagines ? Le mort, là, par terre, et les vautours qui le déchiquettent petit bout par petit bout.

— D'accord, mais pourrir dans un trou n'est pas si différent, dit-il. Tu te fais manger dans tous les cas.

— Peut-être, mais au moins tu ne le vois pas, dit Lara.

— C'est même beau, dit Bruno, de se faire manger par les oiseaux. »

Le thé, par contre, le dégoûta : il vida sa tasse avec les nôtres, et les remplit d'une grappa qui sortait d'une grande bouteille. Nous étions tous les trois un peu éméchés, à ce stade. Il mit son bras autour des épaules de Lara et demanda : « Et les filles de l'Himalaya, comment elles sont ? Elles sont aussi belles que dans les Alpes ? »

Je dus prendre un air sérieux sans le vouloir. Je balbutiai quelque réponse.

« T'es pas en train de virer moine bouddhiste, quand même ? » dit Bruno. Lara, qui avait compris ce que cachait mon embarras, répondit à ma place : « Non, non. Je suis sûre qu'il a quelqu'un. » Alors Bruno me regarda en face et éclata de rire, voyant qu'elle avait raison, et moi, par réflexe, je cherchai

240

des yeux ma mère, trop loin pour entendre quoi que ce soit.

Plus tard, j'allai m'étendre à l'ombre d'un vieux mélèze, un arbre solitaire qui dominait les pâturages au-dessus des maisons. Je restai allongé les yeux à demi clos, les mains derrière la nuque, à regarder les cimes et les crêtes du Grenon entre les branches, et à me laisser gagner par le sommeil. Leur vue me ramenait toujours à mon père. Je pensai qu'en quelque sorte, sans le vouloir, c'était lui qui avait fondé l'étrange famille dans laquelle je me trouvais. Qui sait ce qu'il aurait pensé s'il nous avait vus tous ensemble autour de cette table. Sa femme, son fils, son autre fils de montagne, une jeune femme et une petite fille. Si nous avions été frères, pensai-je, Bruno aurait à coup sûr été l'aîné. C'était lui, le bâtisseur. Celui qui construisait des maisons, fondait des familles, créait des entreprises ; le frère aîné avec ses terres, son bétail, sa descendance. Moi, j'étais le plus jeune, l'enfant prodigue. Celui qui ne se marie pas, qui ne fait pas d'enfants et qui erre à travers le monde sans donner de nouvelles pendant des mois, sauf pour débarquer les jours de fête, et pile à l'heure du repas. Qui l'aurait pensé, hein, papa ? Sur ces divagations imprégnées d'alcool je m'endormis sous le soleil.

Je passai quelques semaines avec eux, cet été-là. Trop peu pour effacer l'impression d'être en visite, mais pas assez pour rester à ne rien faire. À la barma, mes deux années d'absence avaient laissé plus d'une trace, à tel point que, lorsque je revis la petite maison, j'eus envie de lui demander pardon : les mauvaises herbes avaient déjà donné l'assaut, beaucoup de planches du toit avaient été emportées et démises, et en partant j'avais oublié de rentrer le conduit de fumée qui sortait du mur, si bien que la neige l'avait explosé en faisant des dégâts jusque dans la maison. Quelques années auraient suffi pour que la montagne en reprenne possession et la réduise à nouveau au tas de cailloux qu'elle avait été. Je décidai donc de passer mon séjour à m'occuper d'elle, à la préparer pour mon prochain départ.

En passant du temps avec Bruno et Lara, je découvris que la barma n'était pas la seule chose qui avait commencé à se détériorer pendant mon absence. Quand ma mère n'était pas là, une fois Anita couchée, la joyeuse ferme redevenait une entreprise au bord de la faillite, et mes amis deux associés querelleurs. Lara ne parlait que de ça. Elle me dit que les tommes ne rapportaient pas assez pour rembourser le prêt. L'argent entrait et sortait sans qu'ils encaissent jamais rien, et leur dette à la banque restait inchangée. L'été, en vivant là-haut, ils réussissaient à être autosuffisants ou presque ; c'était l'hiver, avec la location de l'étable et les autres frais, qu'ils n'y arrivaient pas. Ils avaient dû demander un deuxième prêt. De nouvelles dettes pour payer les anciennes.

Cet été-là, Lara avait décidé de faire l'impasse sur un intermédiaire, en éliminant le grossiste que j'avais rencontré moi aussi, et en fournissant directement les commerçants, même si ça voulait dire beaucoup de travail en plus pour elle. Deux fois par semaine, elle laissait la petite à ma mère, à Grana, et partait en voiture faire la tournée des livraisons, pendant que Bruno devait se débrouiller tout seul là-haut ; s'ils avaient pris quelqu'un en haut, ils seraient revenus au point de départ.

Quand elle m'en parlait, il finissait par soupirer. Un soir, il dit : « On ne pourrait pas changer de sujet, non ? On le voit jamais, Pietro, et il faut qu'on parle constamment d'argent ? »

Lara prit la mouche : « De quoi tu préférerais qu'on parle ? Tu préférerais qu'on parle de yaks, peut-être ? Qu'est-ce que t'en dis, Pietro, on pourrait lancer un bel élevage de yaks ?

— C'est une idée, commenta Bruno.

— Mais t'entends ça ? me dit Lara. Monsieur vit au sommet de sa montagne, il est bien au-dessus des problèmes que nous avons, nous autres, commun des mortels. » Puis elle se tourna vers lui : « Tu oublies que c'est toi qui t'es mis dans ce pétrin.

— Justement, dit Bruno. C'est mes dettes, tu ne devrais pas les prendre autant à cœur. »

Entendant ces mots, elle le fusilla du regard, en colère, sauta de sa chaise et quitta la pièce. Il regretta aussitôt de lui avoir répondu sur ce ton.

« C'est elle qui a raison, me dit-il, quand nous nous retrouvâmes seuls. Mais qu'est-ce que je peux y faire ? Je ne peux pas travailler plus que ce que je fais déjà. Et c'est pas en pensant toujours à l'argent qu'on va résoudre quoi que ce soit, alors autant se changer les idées, non ?

— Mais il vous faut combien ? demandai-je.

— Oublie. Si je te le dis, tu vas prendre peur.

— Je peux t'aider, moi. Je peux rester travailler jusqu'à la fin de la saison.

— Non, merci.

— Tu n'auras rien à payer, hein. Je le fais avec plaisir.

— Non », dit Bruno, sèchement.

Les jours qui restaient avant mon départ, nous ne revînmes plus sur la question. Lara restait dans son coin, blessée, inquiète, affairée autour de la petite. Bruno faisait comme s'il ne s'était rien passé. Moi, je faisais des allers-retours entre Grana et la maison pour monter le matériel dont j'avais besoin afin de remettre ma petite maison en état : j'avais étalé une nouvelle couche de ciment là où il s'était abîmé, bouché le conduit de fumée, débarrassé le terrain de ses mauvaises herbes. Je m'étais fait couper des planches de mélèze sur le modèle des anciennes, et j'étais sur le toit en train de les changer quand Bruno passa dire bonjour : il voulait peut-être aller en montagne mais, en me voyant là-haut, il changea d'idée et me rejoignit sur le toit.

C'était le même travail que nous avions fait six ans plus tôt. Nous ne tardâmes pas à retrouver notre rythme d'autrefois. Bruno arrachait les clous de la vieille planche et je la jetais dans le pré, je posais ensuite la nouvelle et la tenais fermement pendant que lui la clouait. Nous n'avions rien besoin de nous dire. Une heure durant, il me sembla que nous étions retournés à cet été, quand nos vies devaient encore prendre une direction et que nos seuls problèmes étaient un mur à construire ou une poutre à hisser. Cette heure dura trop peu. Quand nous eûmes fini, le toit était comme neuf, et j'allai à la fontaine prendre deux bières que je gardais au frais dans l'eau glaciale.

Le matin, j'avais décroché les drapeaux de prières, déteints et effilochés par le vent, et les avais brûlés dans le poêle. J'en avais mis d'autres à pendre, non plus entre deux troncs, mais entre la paroi et un angle de la maison, pensant aux stoupas que j'avais vus au Népal. Ils s'agitaient maintenant dans le vent au-dessus de l'épitaphe de mon père, et semblaient le bénir. Bruno les observait quand je remontai.

« C'est quoi ce qui est écrit sur le tissu ? demanda-t-il.

— Des prières pour la chance, dis-je, la prospérité, la paix, l'harmonie.

— Et toi, t'y crois ?

— À quoi, à la chance ?

— Non, aux prières.

— Je ne sais pas. Mais elles me mettent de bonne humeur. C'est déjà pas mal, non ?

— Oui, tu as raison. »

Je repensai au nôtre, de porte-bonheur, et le cherchai des yeux pour voir comment il allait. Le petit pin cembro était encore là, maigrelet et vrillé comme quand je l'avais transplanté, mais vivant. Il allait déjà au-devant de son septième hiver. Lui aussi ondoyait dans le vent, mais il n'inspirait ni la paix ni l'harmonie, plutôt la ténacité. L'attachement à la vie. Je pensai que si ça n'était pas des vertus au Népal, c'en était peut-être dans les Alpes.

Je décapsulai les bières. Au moment de tendre à Bruno la sienne, je lui demandai :

« Alors, comment c'est, être papa ?

— Comment c'est ? dit-il. J'aimerais bien le savoir. »

Il leva les yeux au ciel avant d'ajouter : « Pour le moment, c'est facile, je la prends dans mes bras et je la flatte comme si c'était un petit lapin ou un petit chat. Ça, je sais faire, je l'ai toujours fait. Le plus dur, ce sera quand je devrai lui raconter quelque chose.

— Pourquoi ?

— Mais est-ce que je sais, moi ! Je n'ai connu que ça toute ma vie. »

Il dit *ça* et il fit un geste de la main qui devait comprendre le lac, le bois, les prés et les caillasses devant. Je ne savais pas s'il s'était déjà éloigné d'ici, ni à quel point. Je ne lui avais jamais posé la question, pour ne pas le blesser, mais aussi parce que sa réponse n'aurait rien changé.

Il me dit : « Je sais traire une vache, je sais faire du fromage, je sais couper un arbre, je sais construire une maison. Je saurais même abattre une bête et la manger si je mourais de faim. Ces choses-là, je les ai apprises quand j'étais petit. Mais qui m'a appris à être père ? Certainement pas le mien. À la fin, j'ai dû le frapper pour qu'il me fiche la paix, je te l'ai déjà racontée, celle-là ?

— Non, dis-je.

— C'est la vérité. Je travaillais au chantier à longueur de journée, j'étais plus fort que lui. Il faut croire que je lui ai fait mal parce que je ne l'ai plus revu depuis. Pauvre type. »

Il se tourna à nouveau vers le ciel. Le même vent qui agitait mes drapeaux de prières poussait les nuages derrière les crêtes. Il dit : « Je m'estime heureux qu'Anita soit une fille, comme ça je peux l'aimer, et c'est tout. »

Je ne l'avais jamais vu aussi abattu. Les choses ne se passaient vraiment pas comme il l'avait espéré. J'avais le même sentiment d'impuissance que lorsque nous étions gamins et qu'il ne décrochait pas un mot de la journée, en proie à un mal-être qui me paraissait absolu et irrémédiable. J'aurais voulu connaître un truc de vieux copain pour lui remonter le moral.

Avant qu'il ne parte, je repensai à l'histoire des huit montagnes, et me dis qu'elle pourrait lui plaire. Je la lui racontai en tâchant de me rappeler chaque mot et chaque geste qu'avait eus mon porteur de poules. Je dessinai le mandala avec un clou sur une planche de bois.

« Alors comme ça, toi, tu serais celui qui fait le tour des huit montagnes, et moi celui qui grimpe sur le mont Sumeru ? me demanda-t-il quand j'eus fini.

— On dirait bien, oui.

— Et lequel des deux fait quelque chose de sa vie ?

— Toi », répondis-je, pas seulement pour lui redonner courage mais aussi parce que je le pensais. Ça aussi, je crois qu'il l'avait compris.

Bruno ne dit rien. Il regarda le dessin une dernière fois pour s'en souvenir. Puis il me donna une tape sur l'épaule, et sauta au bas du toit.

Au Népal, sans l'avoir voulu, je me retrouvai moi aussi à m'occuper d'enfants. Pas en montagne, par contre, mais dans la périphérie de Katmandou, qui s'étendait sur toute la vallée et ressemblait désormais à un bidonville parmi tant d'autres dans le monde. C'étaient des enfants dont les parents étaient descendus à la ville tenter leur chance. Certains avaient perdu leur père ou leur mère, ou les deux, mais le plus souvent leur mère ou leur père vivait dans un abri de fortune, travaillait comme esclave dans un autre trou de cette fourmilière et les laissait grandir dans la rue. Si bien que ces enfants connaissaient un destin qui n'existait pas en montagne. À Katmandou, les petits mendiants, les bandes de trafiquants en culottes courtes, les gamins hébétés et crasseux qui fouillaient les ordures faisaient partie du paysage urbain au même titre que les singes des temples bouddhistes et les chiens errants.

Des organisations essayaient de s'en occuper, et la fille avec qui j'étais travaillait dans l'une d'elles. Avec tout ce que je voyais dans la rue et ce qu'elle me racontait, je fus bien obligé de lui donner un coup de main. On trouve sa place dans le monde par des moyens moins imprévisibles qu'on ne le croit. Après bien des détours, j'avais fini dans une grande ville au pied des montagnes avec une femme qui, en fin de compte, faisait la même chose que ma mère. Et avec qui je m'échappais dès que je le pouvais sur les hauteurs, pour reprendre les forces que la ville nous prenait.

En marchant sur ces sentiers, il m'arrivait souvent de penser à Bruno. Ce n'étaient pas tant les bois ou les fleuves que les enfants qui me le rappelaient. Je me souvenais de lui quand il avait leur âge, qu'il grandissait dans ce qui restait de son village à l'agonie, avec les ruines pour jouer tout seul et une école transformée en remise. Il y avait de quoi faire, au Népal, pour quelqu'un comme lui. Nous leur enseignions l'anglais et l'arithmétique avec des livres, mais peut-être aurions-nous mieux fait de montrer aux enfants de ces migrants comment cultiver un jardin, construire une étable, élever les chèvres, et parfois je me plaisais à l'idée de le traîner au Népal, loin de sa montagne mourante, pour éduquer de nouveaux montagnards. Nous aurions pu faire de belles choses, de ce côté-là du globe.

Si ça n'avait tenu qu'à nous, nous ne nous serions pas appelés pendant des années, comme si notre amitié se passait d'entretien. C'était ma mère qui nous donnait des nouvelles l'un de l'autre, habituée qu'elle était à vivre parmi des hommes qui ne se parlaient pas : elle m'écrivait à propos d'Anita, de son caractère qui s'affirmait, de la façon dont elle grandissait, sauvage et sans peur. Elle s'était prise d'affection pour cette enfant, et s'inquiétait de voir ses parents toujours plus en difficulté. Ils travaillaient trop et s'arrangeaient toujours pour travailler plus encore, au point que, l'été, il arrivait souvent que ma mère garde Anita chez elle, à Grana, pour qu'ils aient ce souci en moins. Lara était excédée par leurs dettes. Bruno s'était retranché dans le silence et le travail. Ma mère ne disait pas ouvertement ce qu'elle craignait, mais il n'était pas sorcier de lire entre les lignes ; l'un comme l'autre, nous commencions à deviner comment cette histoire allait finir.

Ils tinrent comme ça encore un temps. L'automne 2013, Bruno déposa le bilan, ferma l'exploitation et remit les clés de l'alpage à l'huissier de justice, et Lara s'en alla vivre chez ses parents avec la petite. Même si, d'après ma mère, c'était le contraire qui s'était passé. Elle avait décidé de le quitter et il avait rendu les armes, en se résignant à la faillite. Peu importe. Le ton de sa lettre n'était pas seulement triste, il était aussi alarmé, et je compris que ma mère avait peur de ce qui pouvait arriver à Bruno. *Il a tout perdu*, m'écrivit-elle, *et il n'a plus personne maintenant. Tu pourrais faire quelque chose ?*

Je la relus deux fois avant de faire ce que je n'avais jamais fait au Népal : je me levai de devant l'ordinateur, demandai à téléphoner, entrai dans l'une des cabines et composai l'indicatif de l'Italie, suivi du numéro de Bruno. C'était un de ces endroits de Katmandou où les gens semblent n'avoir rien d'autre à faire que tuer le temps. Le propriétaire était occupé à manger son assiette de riz et de lentilles, un vieux assis à côté de lui le regardait et deux gamins espionnaient ma cabine pour voir ce que je faisais. Il y eut cinq ou six sonneries, suffisamment pour commencer à penser que Bruno ne répondrait jamais : le connaissant, il pouvait très bien avoir jeté son téléphone dans les bois et décidé de ne plus répondre à personne. Au lieu de ça, il y eut un déclic, un bourdonnement lointain et une voix grippée qui disait : « Allô ?

— Bruno ! criai-je. C'est moi, Pietro ! »

Surpris de m'entendre crier en italien, les gamins éclatèrent de rire. Je collai le combiné à mon oreille. Au décalage des appels intercontinentaux s'ajouta un autre type d'hésitation, puis Bruno dit : « Oui, j'espérais que ce soit toi. »

Il n'avait pas envie de parler de ce qui était arrivé avec Lara. De toute façon, je pouvais le deviner. Je lui demandai comment il allait, et ce qu'il comptait faire.

Il me répondit : « Ça va. Je suis juste fatigué. Ils m'ont pris l'alpage, tu es au courant ?

— Oui. Et les vaches, qu'est-ce que t'en as fait ?

— Ah, je les ai données.

— Et Anita ?

— Elle est avec Lara, chez ses parents. Ils ont de la place. Je les ai eues au téléphone, elles vont bien. »

Puis il ajouta : « Au fait, je voulais te demander un truc.

— Je t'écoute.

— Je me demandais si je pouvais prendre la barma, parce que là, je ne sais pas très bien où aller.

— Mais tu penses vraiment t'installer là-haut ?

— J'ai envie d'être un peu seul, tu sais ce que c'est, passer un peu de temps en montagne. »

Il le dit exactement comme ça : *en montagne*. C'était si étrange d'entendre sa voix sortir d'un combiné de Katmandou, une voix qui m'arrivait rauque et déformée et que j'avais du mal à reconnaître, mais à ces mots j'étais certain que c'était lui. C'était Bruno, mon vieil ami.

Je lui répondis : « Bien sûr, restes-y tant que tu voudras. C'est chez toi.

— Merci. »

J'avais encore quelque chose à dire, mais c'était difficile. Entre nous, nous n'avions pas l'habitude de demander de l'aide ou d'en proposer. Sans y aller par quatre chemins, je demandai : « Dis, tu voudrais que je vienne ? »

En temps normal, Bruno se serait empressé de me répondre de ne pas me déranger. Mais cette fois-là, il se tut. Quand il finit par répondre, il le fit d'un ton que je ne lui avais jamais entendu. Un peu ironique, un peu perdu.

Il dit : « Eh, ce serait bien.

— Dans ce cas, je règle deux trois formalités, et j'arrive, d'accord ?

— D'accord. »

C'était une fin d'après-midi d'octobre. Je sortis du cybercafé au moment où l'obscurité tombait sur la ville. Dans ce coin du monde, les rues ne sont pas éclairées et, quand le soleil se couche, les gens rentrent chez eux à pas pressés, on sent comme une peur de la nuit à venir. Dehors, il y avait des chiens, de la poussière, des mobylettes, une vache couchée en pleine rue qui ralentissait le trafic, des touristes en route vers les restaurants et les hôtels, un air de soir de fin d'été. À Grana, par contre, l'hiver commençait, et je me dis que je n'en avais encore jamais vu un seul.

XII

Le vallon de Grana à la mi-novembre était brûlé
par la sécheresse et le gel. Il avait la couleur de l'ocre,
du sable, de la terre cuite, comme si dans les prés un
incendie était passé et avait déjà été éteint. Dans la
forêt il faisait encore rage. Sur les flancs de la montagne les flammes d'or et de bronze des mélèzes illuminaient le vert tranchant des sapins, et lorsqu'on
levait les yeux au ciel, elles réchauffaient l'âme. Dans
le village en contrebas, par contre, c'était l'ombre
qui régnait. Le soleil n'arrivait pas au fond de la vallée et la terre était dure sous les pieds, couverte çà
et là d'une croûte de givre. Sur le petit pont de bois,
quand je me baissai pour boire, je surpris l'automne
en train de jeter un sort à mon torrent : la glace dessinait des pistes et des galeries, mettait sous verre les
blocs humides, piégeait les touffes d'herbe sèche en
les transformant en sculptures.

En montant vers l'alpage de Bruno, je croisai un
groupe de chasseurs. Ils portaient des vestes de
camouflage et des jumelles autour du cou, mais pas

de fusils. Ils n'avaient pas l'air du coin mais qui sait, peut-être que les visages aussi changeaient ici en automne, et que l'intrus c'était moi. Ils discutaient en dialecte et, quand ils me virent, ils se turent, me toisèrent, m'ignorèrent et passèrent leur chemin. Je ne tardai pas à découvrir où ils s'étaient postés : là-haut, à l'alpage, près du banc sur lequel Bruno et moi nous asseyions le soir, je trouvai des mégots écrasés et un paquet de cigarettes froissé. Ils devaient être venus au petit matin pour étudier les bois de ce point d'observation si particulier. Bruno avait laissé tout en ordre en partant : tiré les barres du portail de l'étable, fermé les volets, entassé le bois sur un côté de la maison, retourné les abreuvoirs le long du mur. Il avait même épandu le fumier qui était maintenant sec et inodore dans les prés jaunis. J'eus l'impression d'être devant un simple alpage paré pour l'hiver et restai un moment à me remémorer comment il était, plein de bruit et de vie, à ma dernière visite. Ce fut au milieu de ce silence que j'entendis un brame sur l'autre versant du vallon. Il m'était déjà arrivé de l'entendre quelques fois, mais une seule suffit pour le reconnaître à vie. C'est un cri puissant, guttural, coléreux, avec lequel le cerf intimide ses rivaux pendant la saison des amours, même s'il était trop tard, maintenant, pour la reproduction. Peut-être était-il simplement en colère. Et je sus alors après quoi les chasseurs étaient.

Il m'arriva quelque chose de semblable un peu plus tard, au lac. Le soleil dépassait à peine les crêtes du Grenon et tiédissait les pierrailles tournées vers le sud. Même à midi, la crique en contrebas restait plongée dans l'obscurité. Sur l'eau, une couche de glace s'était formée, une demi-lune à la fois brillante et noire. Quand je la touchai avec un bâton, la glace était si fine qu'elle se brisa. J'en repêchai un morceau que je portai à mes yeux pour regarder à travers, lorsque j'entendis une tronçonneuse démarrer. Deux coups d'accélérateur, puis le hurlement strident de la lame qui mordait le bois. Je regardai sur les hauteurs pour voir d'où le bruit venait. Il y avait un petit groupe de mélèzes à mi-hauteur, légèrement au-dessus de la barma, qui avaient poussé sur un genre de terrasse. Le tronc d'un arbre mort tranchait, nu et gris, sur la luxuriance jaune des autres. J'entendis la tronçonneuse s'enfoncer deux fois dans le bois. Il y eut une pause, le temps nécessaire pour faire le tour de l'arbre, puis le hurlement reprit de plus belle. La cime du mélèze mort ondula. Je le vis s'incliner au ralenti, puis céder brusquement, au milieu du fracas des branches qui se brisaient dans la chute.

« Qu'est-ce que tu veux que je te dise, Pietro, ça a mal fini », me dit Bruno ce soir-là. Il haussa les épaules pour me signifier qu'il n'avait rien à ajouter sur le sujet. Il buvait un café qu'il avait réchauffé sur le poêle et regardait dehors, là où à cinq heures venait désormais la nuit. Dans la maison, nous nous éclairions à la bougie maintenant que notre petit moulin s'était arrêté faute d'eau. J'avais vu deux paquets entiers de ces bougies blanches traîner dans un coin, avec les sacs de farine de maïs, quelques tommes survivantes de la dernière production, une réserve de boîtes de conserve, les pommes de terre, les cartons de vin. Ce n'étaient pas les réserves de quelqu'un qui comptait redescendre bientôt. Le mois qui avait suivi mon appel, Bruno s'était ravitaillé et avait élaboré une stratégie de deuil à sa façon : l'exploitation de l'alpage avait mal fini, l'histoire avec Lara avait mal fini, et il en parlait, ou plutôt évitait d'en parler, comme s'il s'agissait déjà d'une époque lointaine, dans le temps et dans ses pensées. Plutôt que de la ressasser, il semblait vouloir l'oublier complètement.

Nous passâmes ces journées de novembre à faire du bois pour l'hiver. Le matin, nous étudiions la pente à la recherche d'un arbre mort, nous montions l'abattre, le défaisions de ses branches, Bruno en arrondissait la tête à la tronçonneuse, puis nous passions des heures à n'en plus finir à le ramener à la maison. Nous l'attachions avec une corde solide et le tirions à la force des bras. Nous avions construit des rampes, dans le bois, utilisant de vieilles planches en guise de traverses, et sécurisé avec des tas de branches les endroits où le tronc risquait de nous échapper, entraîné par la pente, mais quoi qu'on fasse il allait tôt ou tard s'encastrer quelque part, et nous avions alors toutes les peines du monde à le dégager. Bruno l'insultait. Se servait d'une grande pioche comme d'une de ces petites houes de bûcheron, en faisant levier sur le tronc pour le tourner sur le côté, il essayait à gauche, puis à droite, jurait, finissait par jeter sa pioche et reprenait sa tronçonneuse. J'avais toujours admiré la façon dont il travaillait, la grâce qu'il pouvait exprimer quel que soit l'outil qu'il tenait dans ses mains, mais il n'en restait plus rien : il démarrait la tronçonneuse avec rage, noyait le moteur, mettait les gaz, parfois l'engin tombait en panne sèche à ce moment précis et il se retenait de l'envoyer au diable lui aussi ; à la fin il réduisait le tronc en morceaux, et la question était réglée, même si, une fois qu'on en arrivait là, il nous restait encore les trajets pour le ramener à la maison. Nous le débitions ensuite avec masse et coins, jusqu'au soir. Le fracas du fer contre le fer vibrait à travers la montagne, plus sec, aigu, impitoyable quand c'était Bruno, plus hésitant et faux quand je prenais le relais, puis un déchirement sourd se faisait entendre, le tronc s'ouvrait et nous le finissions à la hache.

Il n'y avait pas encore beaucoup de neige sur le Grenon. Celle qui était tombée laissait deviner les pierrailles et les arbustes, les vires et les sauts de roche, comme si elle n'était rien de plus qu'une couche de givre. Mais vers la fin du mois une vague de froid arriva, les températures chutèrent d'un coup et, du jour au lendemain, le lac gela. Le matin, je descendis voir : une myriade de petites bulles piégées rendait la glace opaque et grisâtre sur les bords, et plus le regard s'en éloignait, plus elle devenait brillante et noire. Avec mon bâton, je n'arrivais même pas à l'égratigner, je me risquai à marcher dessus et constatai qu'elle supportait mon poids. Je n'avais fait que quelques pas quand j'entendis une déflagration venue des profondeurs du lac qui me fit regagner la rive en courant. Sur la terre ferme, je l'entendis encore. C'était une déflagration sourde, vibrante, le timbre d'une grosse caisse, et elle se répétait à un rythme extrêmement lent, peut-être un coup par minute, peut-être moins. Ce ne pouvait être que l'eau qui, dessous, cognait contre la glace. Depuis l'arrivée du jour, le gel devait avoir relâché son emprise, et l'eau semblait vouloir défoncer à grands coups d'épaule la tombe dans laquelle elle s'était retrouvée enfermée.

Au coucher du soleil nos soirées interminables commençaient. L'horizon au fond du vallon rougissait quelques minutes à peine, avant qu'il ne fasse nuit noire. Après, la lumière était la même jusqu'à l'heure d'aller dormir. Il était six, sept, huit heures, et nous les passions en silence devant le poêle, chacun avec une bougie pour lire, la clarté du feu, le vin qui devait nous faire tenir, la seule distraction du dîner. Pendant cette période, je cuisinai les pommes de terre de toutes les façons possibles et imaginables. Bouillies, rôties, braisées, frites dans le beurre, cuites au four avec la tomme, approchant la bougie du plat pour contrôler la cuisson. Nous les mangions en dix minutes, et avions ensuite deux ou trois autres heures de veille silencieuse à tirer. Le fait est que j'attendais quelque chose – je ne savais même pas quoi – qui n'arrivait pas. J'étais venu du Népal pour prêter secours à un ami et cet ami semblait n'avoir aucun besoin de mon aide. Si je lui posais une question, il la laissait tomber à plat en me servant une de ces réponses vagues dont il avait le secret et qui tuaient dans l'œuf toute tentative de conversation. Il pouvait passer une heure à regarder le feu. Et à de rares moments seulement, quand je ne m'y attendais plus, il parlait, mais comme s'il reprenait un discours en plein milieu, ou suivait à voix haute le fil de ses pensées.

Un soir, il dit : « J'y suis allé, une fois, à Milan.

— Ah oui ? dis-je.

— Mais c'est vieux, je devais avoir la vingtaine. Un jour, je me suis disputé avec mon chef et j'ai abandonné le chantier. J'avais l'après-midi devant moi et je me suis dit : cette fois, j'y vais. Je suis monté dans ma voiture, j'ai pris l'autoroute, je suis arrivé le soir. Je voulais boire une bière à Milan. Je suis descendu dans le premier bar que j'ai trouvé, j'ai descendu ma bière, et je suis rentré.

— Et comment c'était, Milan ?

— Bah... Trop de gens. »

Il ajouta : « Et je suis allé à la mer, aussi. J'en avais lu tellement, des histoires de marins, que je suis allé à Gênes, une fois, et je l'ai vue. J'avais une couverture dans la voiture, j'ai dormi sur place. De toute façon, à la maison, personne m'attendait.

— Et la mer, comment c'était ?

— Un grand lac. »

C'étaient des discours comme ça, qui pouvaient être vrais comme ils pouvaient être faux, et ne menaient jamais nulle part. Les personnes que nous connaissions en étaient toujours exclues. Une fois seulement, il me dit de but en blanc : « C'était le bon temps, hein, quand on s'asseyait le soir devant l'étable ? »

Je posai le livre que j'étais en train de lire et répondis : « Oui, c'était le bon temps.

— Cette façon qu'avait la nuit de tomber en juillet, ça mettait un de ces calmes, tu te souviens ? C'était le moment de la journée que j'aimais le plus, ça et quand je me levais pour la traite quand il faisait encore noir. Elles dormaient toutes les deux, et moi j'avais l'impression de veiller sur elles, comme si elles pouvaient dormir à poings fermés parce que, de toute façon, j'étais là. »

Il ajouta : « C'est stupide, hein ? Et pourtant, c'est vraiment l'impression que ça me faisait.

— Ça n'a rien de stupide.

— Si, c'est stupide, parce que personne ne peut s'occuper des autres. S'occuper de soi, c'est déjà pas une mince affaire. Un homme est fait pour s'en tirer toujours tout seul, s'il est malin, mais s'il se croit plus malin que les autres, tôt ou tard, il finit par se casser la gueule.

— C'est se croire plus malin que les autres de fonder une famille ?

— Pour certains, oui, peut-être.

— Alors ceux-là feraient mieux de ne pas faire d'enfants du tout.

— C'est bien ce que je me dis », fit Bruno.

Je le regardai dans la pénombre en cherchant à comprendre ce qu'il avait dans la tête. Une moitié du visage jaunâtre à la lueur du poêle, l'autre entièrement plongée dans le noir.

« T'entends ce que tu dis ? » demandai-je, mais il ne répondit pas. Il regardait le feu comme si je n'étais plus là.

Je fus pris d'une lassitude qui m'obligea à sortir dans la nuit, regrettant la cigarette qui m'aurait tenu compagnie. Je restai planté dehors à chercher les étoiles qu'il n'y avait pas et à me demander ce que j'étais venu faire ici, jusqu'à ce que je me retrouve à claquer des dents. Je retournai me mettre au chaud dans la pièce sombre et enfumée. Bruno n'avait pas bougé. Je me réchauffai debout devant le poêle, puis montai me boucler dans mon sac de couchage.

Le lendemain matin, je me levai en premier. Comme je n'avais aucune envie de partager avec lui cette petite pièce à la bougie, je sautai le café et partis faire un tour. Je descendis voir le lac, et le trouvai voilé d'une gelée nocturne que le vent balayait çà et là : il la soulevait dans des rafales, bourrasques et tourbillons qui naissaient et disparaissaient en quelques secondes, comme des esprits tourmentés. Sous le givre, la glace était noire et semblait de pierre. Un coup de feu retentit pendant que je me tenais là, à regarder. Le son rebondit de part et d'autre du vallon, si bien qu'on avait de la peine à comprendre d'où il était parti, si c'était d'en bas, dans les bois, ou d'en haut, sur les crêtes. Par réflexe, je cherchai sur les hauteurs, passant en revue les pierrailles et les ravins pour saisir un mouvement.

Quand je revins à la barma, je vis que deux chasseurs étaient venus rendre visite à Bruno. Ils avaient des armes modernes, des viseurs à haute précision. À un moment donné, l'un d'eux ouvrit sa gibecière et déposa un sac noir aux pieds de Bruno. L'autre remarqua ma présence, et fit un signe pour me saluer, et ce signe me rappela quelque chose, et je compris qui ces deux-là étaient : les cousins à qui Bruno avait acheté l'alpage. Vingt-cinq ans que je ne les avais pas vus. Je ne savais pas qu'ils étaient restés en contact avec lui, ni comment ils l'avaient déniché là-haut, mais qui sait tout ce qu'il y avait d'autre à Grana que je n'imaginais même pas.

Du sac noir, après qu'ils s'en furent allés, sortit un chamois mort et déjà éviscéré. Quand Bruno le pendit à une branche de mélèze par les pattes arrière, je vis que c'était une femelle. Elle avait le manteau sombre de l'hiver, une ligne épaisse et noire qui lui courait le long de l'échine, le cou fin au bout duquel pendait un museau sans vie, deux petites cornes pareilles à des crochets. De l'entaille qu'elle avait au ventre sortait encore de la vapeur dans le froid du matin.

Bruno rentra prendre un couteau et l'affila avec soin avant de se mettre au travail. Il se montra précis et méthodique comme s'il avait fait ça toute sa vie. Il incisa autour des tibias postérieurs et fit courir la lame sur l'intérieur des cuisses, descendant jusqu'à l'aine, où les deux entailles se rejoignaient. Il remonta ensuite, détacha un bout de peau au niveau du tibia, posa le couteau et prit ce bout avec les mains, le tira vers le bas d'un grand coup et mit à nu une cuisse puis l'autre. Sous la peau, il y avait une couche blanche et gluante, le gras que la chèvre avait accumulé pour l'hiver, et sous le gras on pouvait voir le rose de la chair. Bruno reprit le couteau, fit une incision sur le poitrail et deux autres le long des antérieures, il reprit le manteau qui pendait désormais au milieu du dos et tira dessus aussi fort qu'il le pouvait. Il en fallait de la force pour séparer la peau de la chair, et il en mit même plus que nécessaire, et avec elle toute la colère qu'il contenait depuis que j'étais là, avec lui. Il défit la bête de sa peau d'un coup, comme s'il lui avait ôté une robe. Puis il prit une corne dans la main gauche, manœuvra avec son couteau entre les vertèbres cervicales et je sentis quelque chose se briser. La tête partit avec le pelage que Bruno étendit sur l'herbe, le poil tourné contre le terrain et la peau à l'air.

La chèvre paraissait beaucoup plus petite maintenant. Sans son manteau et sa tête, on n'aurait même plus dit une chèvre, mais rien que de la viande, des os et du cartilage, une de ces carcasses qui pendent aux crochets des chambres froides des supermarchés. Bruno enfonça ses mains dans le thorax et commença par détacher le cœur et les poumons, puis tourna la carcasse sur le dos. Il chercha du bout des doigts les veines des muscles le long de la colonne vertébrale, les détacha en faisant une légère incision, puis repassa le couteau dessus en enfonçant la lame. La chair qui s'ouvrit à ce moment-là était rouge foncé. Il en coupa deux longs filets, noirs et ensanglantés. Ses bras aussi étaient noirs de sang, moi, j'en avais vu assez et préférai ne pas assister au reste de cette boucherie. Je ne vis qu'après, pendouillant à la branche de l'arbre, le squelette du chamois, réduit désormais à pas grand-chose. Bruno le décrocha, jeta ce petit tas d'os par-dessus la peau étendue par terre, en fit un paquet qu'il emporta dans le bois pour l'enterrer ou le cacher dans un trou.

Quelques heures plus tard, je lui dis que je m'en allais. À table, j'avais essayé de reprendre la discussion de la veille, mais sans y aller par quatre chemins cette fois. Je lui avais demandé ce qu'il pensait faire avec Anita, comment il s'était mis d'accord avec Lara pour la petite, et s'il comptait descendre la voir à Noël.

« À Noël, je ne crois pas, répondit-il.

— Si tu n'y vas pas à Noël, tu comptes y aller quand ?

— J'en sais rien, peut-être au printemps.

— Mais oui ! Et pourquoi pas l'été prochain, tant que tu y es ?

— Qu'est-ce que ça change de toute façon ? Elle est mieux avec sa mère, non ? Tu veux quand même pas que je la monte ici vivre cette vie ? »

Il dit *ici* sur le même ton qu'il l'avait toujours dit : comme si au pied de sa vallée il y avait une frontière invisible, un mur dressé rien que pour lui, qui l'empêchait de rejoindre le reste du monde.

« Peut-être que tu pourrais descendre toi, dis-je. Peut-être que c'est toi qui dois changer de vie.

— Moi ? Mais, Berio, t'as oublié à qui tu parles ? »

Non, je n'avais pas oublié. Il était le vacher, le maçon, le montagnard, et surtout le fils de son père : tout comme lui, il allait disparaître de la vie de sa fille, et ça en resterait là. Je regardai mon assiette. Bruno avait cuisiné le plat préféré des chasseurs, le cœur et les poumons du chamois cuits dans une sauce au vin avec des oignons, mais j'y avais à peine touché.

« Tu ne manges pas ? me demanda-t-il, désolé.

— Le goût est trop fort pour moi », répondis-je.

J'écartai mon assiette et ajoutai : « Aujourd'hui, je descends. J'ai des trucs à régler pour le travail. Peut-être que je repasserai te dire au revoir avant de partir.

— Mais oui, bien sûr », dit Bruno, sans me regarder. Il n'y croyait pas plus que moi. Il prit mon assiette, ouvrit la porte et jeta les restes dehors, pour les corbeaux et les renards qui n'avaient pas un estomac sensible comme le mien.

En décembre, je décidai de rendre visite à Lara. Je remontai sa vallée un jour qu'il neigeait à peine, au début de la saison de ski. Le paysage n'était pas si différent de celui de Grana, d'ailleurs, et sur la route je me dis que toutes les montagnes en quelque sorte se ressemblent, mis à part que rien, là-bas, ne me parlait de moi ou de quelqu'un que j'avais aimé, et c'était là toute la différence. La façon dont un lieu conservait l'histoire de chacun. Comment on réussissait à la relire chaque fois que l'on y remettait les pieds. Une montagne comme celle-là, il ne pouvait y en avoir qu'une dans la vie, et toutes les autres à côté n'étaient que des sommets mineurs, même l'Himalaya.

Il y avait une petite station de ski au début de la vallée. Deux ou trois remontées en tout, de celles qui, avec la crise économique et les changements climatiques, survivaient toujours plus difficilement. Lara travaillait là, dans un restaurant de style alpin au point de départ des télésièges, une fausse baita aussi surfaite que les pistes de neige artificielle. Elle vint me serrer dans ses bras avec son tablier de serveuse et un sourire qui n'arrivait pas à cacher la fatigue. Elle était jeune, Lara, elle avait à peine franchi le cap de la trentaine mais faisait depuis longtemps une vie d'adulte, et ça se voyait. Il n'y avait pas beaucoup de skieurs, et après avoir demandé la permission à son autre collègue, elle vint s'asseoir à ma table.

En parlant, elle me montra une photographie d'Anita : une petite fille blonde, fluette, tout sourires, les bras autour d'un chien noir plus grand qu'elle. Elle me raconta qu'elle l'avait inscrite en première année de maternelle. Ça n'avait pas été facile de la convaincre de se conformer à certaines règles. Au début elle était comme une petite sauvage, soit elle se disputait avec quelqu'un, soit elle se mettait à hurler, soit elle s'asseyait dans un coin et ne parlait plus de la journée. Elle commençait peut-être bien à se civiliser, maintenant. Lara rit. Elle dit : « Mais ce qu'elle préfère, c'est quand je l'amène dans une ferme. Là, elle se sent vraiment à la maison. Elle laisse les veaux lui lécher les mains, tu sais, avec leur langue râpeuse, et elle n'a même pas peur. Pareil pour les chèvres, les chevaux. Elle est à l'aise avec tous les animaux. J'espère qu'elle gardera au moins ça, qu'elle ne l'oubliera jamais. »

Elle s'arrêta pour boire une gorgée de thé. Je vis qu'elle avait les doigts rougis autour de la tasse, et les ongles tout rongés. Elle regarda le restaurant autour d'elle, et dit : « Je travaillais ici quand j'avais seize ans, déjà, tu sais ? Tout l'hiver, le samedi et le dimanche, pendant que mes amis allaient skier. Je détestais ça.

— Il y a pire comme endroit, dis-je.

— Non, il n'y a rien de pire ! Je n'aurais jamais pensé devoir y remettre les pieds un jour. Mais comme on dit, parfois, quand on veut avancer, il faut savoir revenir sur ses pas. À condition d'être assez humble pour le reconnaître. »

Elle parlait de Bruno, maintenant. Quand nous entrâmes dans le vif du sujet, elle ne mâcha pas ses mots. Deux ou trois années en arrière, me dit-elle, quand il était évident que l'entreprise coulait, ils auraient encore pu se retourner. Vendre les vaches, louer l'alpage, trouver chacun une place au village. Quelqu'un comme Bruno, ils l'auraient engagé sur-le-champ, dans un chantier ou une fromagerie, même sur les pistes de ski. Lara aurait pu trouver une place de vendeuse ou de serveuse. Elle était prête à faire ce choix-là, prête à retrouver une vie normale tant que la situation ne se serait pas améliorée. Bruno, par contre, n'avait rien voulu savoir. Dans sa tête, il n'y avait pas d'autre vie possible. Et Lara avait fini par le comprendre : face à la montagne, ni elle, ni Anita, ni ce qu'elle croyait avoir construit avec lui là-haut ne faisaient le poids. Le jour où elle avait compris ça, pour elle, c'était fini. Le lendemain, elle avait commencé à projeter un avenir loin de Grana, avec la petite et sans Bruno.

Elle dit : « Parfois, l'amour meurt à petit feu, parfois il s'en va d'un coup, c'est comme ça, non ?

— Bah, j'y connais rien à l'amour, moi, répondis-je.

— Ah oui, c'est vrai, j'oubliais.

— Je suis monté le voir. Il est là-haut, à la barma. Il s'est installé, il refuse de descendre.

— Je sais, dit Lara, c'est le dernier des montagnards.

— Je ne sais pas quoi faire pour l'aider.

— Laisse tomber. On ne fait pas boire un âne qui n'a pas soif. Laisse-le là où il est, puisqu'il tient à y rester. »

Elle prononça ces mots puis regarda la pendule, échangea un regard avec sa collègue au comptoir et se leva pour reprendre le travail. Lara la serveuse. Je me la rappelai quand elle surveillait ses vaches sous la pluie, fière, immobile, sous son parapluie noir.

« Embrasse Anita pour moi, dis-je.

— Passe la voir avant qu'elle ait vingt ans ! » et sur ces mots, elle me serra dans ses bras un peu plus fort qu'avant. Il y avait quelque chose dans son étreinte qu'il n'y avait pas dans ses mots. Une émotion, peut-être, ou une nostalgie. Je passai la porte au moment où les skieurs débarquaient pour déjeuner, avec leurs casques, leurs combinaisons et leurs bottes, tels des extraterrestres.

La neige arriva, soudaine et abondante, à la fin du mois de décembre. Le jour de Noël, il neigeait même à Milan. Après le repas je regardais par la fenêtre, le boulevard de mon enfance avec les rares voitures qui l'empruntaient, hésitantes, quelqu'un qui faisait une embardée et restait planté au milieu du carrefour. Des enfants se lançaient des boules de neige, de petits Égyptiens qui la voyaient peut-être pour la première fois. Dans quatre jours, un avion me ramènerait à Katmandou, mais j'étais loin de penser au Népal, je pensais à Bruno. J'avais l'impression d'être le seul à le savoir là-haut.

Ma mère me rejoignit près de la fenêtre. Elle avait invité ses amies pour le repas, lesquelles bavardaient à table, un peu éméchées, en attendant le dessert. Il y avait de la joie, dans cette maison. Il y avait la crèche qu'elle faisait chaque année avec la mousse qu'elle ramassait, l'été, à Grana, la nappe rouge et le mousseux et la compagnie. Une fois encore, je lui avais envié son talent pour l'amitié. Elle ne comptait pas du tout vieillir seule et triste dans son coin.

Elle dit : « À mon avis, il faut que tu réessaies.

— Je sais, répondis-je. Ce que je ne sais pas, en revanche, c'est si ça sert à quelque chose. »

J'ouvris la fenêtre et mis une main dehors. J'attendis qu'un flocon se pose dans ma paume : mouillé et lourd, il fondait tout de suite au contact de la peau, mais qui sait comment la neige serait deux mille mètres plus haut.

Le lendemain j'achetai des chaînes sur l'autoroute et une paire de raquettes dans le premier magasin de la vallée, et rejoignis la file des voitures qui arrivaient de Milan et de Turin. Toutes ou presque avaient des skis sur le toit : après des hivers de vache maigre, les skieurs accouraient à la montagne comme pour la réouverture de la fête foraine. À l'embranchement, aucune ne prenait la direction de Grana. Quelques virages me suffirent pour ne plus voir personne, puis quand la route tourna derrière le rocher j'entrai de nouveau dans mon vieux monde.

Il y avait de la neige contre les étables et les murs en rondins des granges. De la neige sur les tracteurs, sur la tôle des cahutes, sur les brouettes et les tas de fumier ; de la neige qui remplissait les ruines et les cachait presque. Au village, un petit chemin avait été creusé entre les maisons, peut-être était-ce l'œuvre des deux hommes que je vis sur un toit, occupés là aussi à débarrasser la neige. Ils levèrent la tête et ne daignèrent pas me saluer. Je garai la voiture quelques mètres plus haut, à l'endroit où le chasse-neige s'était arrêté ou avait peut-être déclaré forfait, après avoir dégagé l'espace suffisant pour tourner et rebroussé chemin. J'enfilai mes gants parce que ça faisait quelque temps que mes doigts avaient commencé à geler. J'attachai les raquettes à mes chaussures de marche, escaladai le mur de neige durcie qui barrait la route et me retrouvai de l'autre côté, dans la neige fraîche.

Je mis plus de quatre heures à faire un sentier qui, l'été, m'en prenait moins de deux. Même en raquettes, je m'enfonçais dans la neige presque jusqu'aux genoux. J'avançais de mémoire, devinant la ligne aux formes que dessinaient les arrondis et les pentes, à un passage plus évident entre les sapins aux branches chargées, sans une trace à suivre ni mes points de repère sur le terrain. La neige avait noyé la ferraille des téléphériques, les murets disjoints, les tas de pierres sorties des prés, les souches des mélèzes séculaires. Du torrent, il ne restait plus qu'un affaissement entre les deux bosses molles que formaient les rives. Je le traversai au hasard, en faisant un saut dans la neige fraîche, tombai en avant sur les bras sans me faire le moindre mal. Passé de l'autre côté, la pente montait plus raide, si bien que je glissais vers le bas tous les trois ou quatre mètres, traînant derrière moi une petite avalanche. Je devais alors y aller avec les mains, planter les raquettes comme si c'étaient des crampons, réessayer plus franchement. Ce n'est qu'une fois arrivé à l'alpage de Bruno que je pus me faire une idée de la quantité de neige : les fenêtres de l'étable dépassaient à moitié. Mais le vent avait balayé la face tournée vers l'amont, formant une galerie de la largeur d'un pas où je m'arrêtai pour reprendre mon souffle. L'herbe de ce bref tronçon était sèche et morte, grise comme les murs de pierre. Il n'y avait pas de lumière et nulle autre couleur que le blanc, le gris et le noir, et il continuait de neiger.

Parvenu en haut, je découvris que le lac avait disparu au même titre que le reste. Il n'était plus qu'une combe enneigée, un doux replat au pied de la montagne. Pour la première fois après toutes ces années passées à le contourner, je pris tout droit en direction de la barma. C'était étrange de marcher sur toute cette eau. J'étais presque à mi-route quand j'entendis qu'on m'appelait.

« Oh ! entendis-je. Berio ! »

Je levai les yeux et vis Bruno beaucoup plus haut que moi, une petite silhouette au-dessus de la ligne des arbres. Il agita les bras et se précipita en bas à la seconde où je lui rendis son salut, et je compris alors qu'il avait des skis aux pieds. Il dévalait la pente en diagonale, les jambes écartées, sans aucun style, exactement comme il le faisait l'été sur les névés. Il tenait aussi ses bras à l'horizontale et le buste penché en avant, dans un équilibre précaire. Devant les premiers mélèzes je le vis basculer d'un côté et tourner de façon décidée, éviter le bois en prenant par le haut, jusqu'au couloir principal du Grenon, et s'arrêter là. Dans ce couloir, l'été, un petit torrent coulait, mais en cette saison il n'y avait plus qu'une large piste recouverte de neige qui descendait tout droit sans obstacle jusqu'au lac. Bruno évalua le reste de la pente, pointa ses skis dans ma direction, et reprit sa course toujours aussi décidé. Dans le couloir, il prit aussitôt de la vitesse. Je ne sais pas ce qu'il lui serait arrivé s'il avait trébuché et était tombé là, en plein milieu, mais il tint bon, fonça dans la combe et ralentit peu à peu sur la neige qui s'aplanissait, arrivant jusqu'à moi par la force de l'inertie.

Il transpirait, et souriait. « T'as vu ça ? » dit-il, à bout de souffle. Il leva un ski qui pouvait être vieux de trente ou quarante ans, on aurait dit une relique de guerre. Il dit : « C'est en descendant chercher une pelle dans la cave de mon oncle que je les ai trouvés. Je les avais toujours vus là, je ne sais même pas à qui ils étaient.

— Mais tu viens de t'y mettre ?

— Ça fait une semaine ! Et tu sais ce qui est le plus difficile ? Il ne faut jamais viser un arbre quand tu descends dans sa direction, autrement tu peux être sûr que tu lui rentres dedans.

— T'es taré », dis-je. Bruno rit et me donna une tape sur l'épaule. Il avait la barbe longue, grise, et les yeux brillants d'euphorie. Il avait dû perdre du poids parce que son visage me paraissait plus anguleux que jamais.

« Au fait, joyeux Noël, dit-il avant d'enchaîner : Viens, viens ! » comme si nous nous étions rencontrés par hasard un jour où je me promenais dans le coin et qu'il fallait trinquer à ce coup de chance. Il ôta ses skis, les mit sur son épaule et prit les devants, marchant le long d'une trace qu'il devait avoir battue lors de ses premiers essais de skieur.

Elle me fit presque de la peine, notre petite maison adossée à la roche, quand je la vis entourée de murs de neige aussi hauts qu'elle. Bruno avait dégagé le toit et creusé tout autour une tranchée, qui s'élargissait devant la porte en formant une terrasse. En entrant, j'eus l'impression de descendre au fond d'une tanière. Je la trouvai chaleureuse, accueillante, plus remplie et en désordre qu'à l'accoutumée. La fenêtre était aveugle, à présent, et il n'y avait rien d'autre à observer que les strates de blanc derrière la vitre. J'eus à peine le temps d'enlever ma veste et de m'asseoir à table que quelque chose alla se fracasser contre les planches du toit, faisant un bruit sourd, semblable à celui d'un plongeon. Par réflexe, je regardai le plafond, de peur qu'il ne me tombe sur la tête.

Bruno se mit à rire. Il dit : « Tu les as bien fixées, les poutres, l'autre fois ? C'est le moment de voir si le toit tient le coup ! »

Des plongeons comme celui-là, il en arrivait sans arrêt, et il n'y faisait même plus attention. Quand je m'y fus habitué à mon tour, je commençai à remarquer les changements. Bruno avait mis des étagères supplémentaires, planté des clous aux murs, et avait rempli la pièce de ses livres, de ses vêtements, de ses outils, lui donnant un aspect qu'elle n'avait jamais eu avec moi : celui d'une maison habitée.

Il nous servit deux verres de vin. Me dit : « Je te dois des excuses. Je suis désolé que ça se soit terminé comme ça, l'autre fois. Ça me fait plaisir de te revoir, je n'y croyais plus. On est toujours amis, pas vrai ?

— Bien sûr », lui répondis-je.

Pendant que je commençais à me détendre, il ranima le feu dans le poêle. Il sortit avec le chaudron et le ramena rempli de neige, puis mit celle-ci à fondre pour préparer de la polenta. Il me demanda si ça m'irait de manger un peu de viande ce soir, je lui dis qu'après une marche pareille je pourrais manger n'importe quoi, et il sortit des morceaux de chamois qu'il avait salés, les rinça avec soin et les mit dans une casserole avec du beurre et du vin. Quand l'eau frémit, il y jeta plusieurs poignées de farine jaune. Il sortit un deuxième litre de rouge pour nous tenir compagnie en attendant que ça cuise et, deux verres plus tard, tandis que l'odeur forte du sauvage se diffusait dans la maison, je commençai à me sentir bien moi aussi.

Bruno dit : « J'étais en colère. Et j'étais d'autant plus en colère que je ne pouvais m'en prendre qu'à moi-même. Le fait est que c'est moi qui me suis mis tout seul dans le pétrin, personne ne m'y a poussé. Quelle idée, aussi, de vouloir jouer les chefs d'entreprise. J'y connais rien, moi, à l'argent. J'aurais dû me construire une petite maison comme celle-là, y monter quatre vaches et vivre comme ça depuis le début. »

Je restai à l'écouter. Je sentais qu'il avait longuement réfléchi, et qu'il avait trouvé les réponses qu'il cherchait. Il dit : « Il faut faire ce que la vie t'a appris à faire. Si t'es très jeune, à la rigueur, tu peux peut-être encore changer de route. Mais à un moment donné, il faut s'arrêter et se dire : bon, ça je suis capable de le faire, ça pas. Et je me suis demandé : de quoi je suis capable, moi ? Moi, je sais vivre en montagne. Qu'on me mette là-haut tout seul, et tu verras que je m'en sors. C'est pas rien quand même, non ? Eh bien il m'a fallu attendre quarante ans avant de comprendre que ça n'était pas donné à tout le monde. »

J'étais exténué et me laissais doucement aller dans la chaleur du vin, et, même si je n'étais pas prêt à l'admettre, j'aimais l'entendre parler comme ça. Il y avait quelque chose d'absolu chez Bruno, qui m'avait toujours fasciné. Quelque chose d'intègre et de pur que j'admirais chez lui depuis que nous étions gosses. Et sur le moment, dans la petite maison que nous avions construite ensemble, je ne demandais qu'à croire qu'il avait raison : vivre seul en plein hiver, avec rien d'autre qu'un peu de nourriture, ses mains et ses pensées, était la seule façon de vivre qui soit juste pour lui, quand bien même n'importe qui d'autre aurait dit que ce n'était pas une vie.

Ce furent les montagnes qui me sortirent de ma rêverie. Plus tard, pendant que nous dînions, j'entendis un bruit différent des plongeons sur le toit. Il y eut d'abord comme le grondement d'un avion ou d'un orage lointain, sauf qu'il fut tout de suite là, assourdissant, un vacarme à faire trembler les verres sur la table. Bruno et moi nous regardâmes, et je vis à cet instant qu'il n'était pas plus préparé que moi, pas moins terrorisé. Au vacarme s'ajouta un autre bruit, celui d'un choc cette fois, quelque chose qui cogne et explose, et tout de suite après le fracas baissa d'un ton. Nous commençâmes alors à comprendre que l'avalanche ne nous roulerait pas dessus. Elle était passée tout près, mais cependant ailleurs. Il y eut encore d'autres chutes, on entendit quelques éboulis plus timides, puis le silence se fit aussi brusquement qu'il avait été brisé. Quand plus rien ne bougea, nous sortîmes pour tenter de comprendre, mais il faisait nuit, il n'y avait pas de lune, rien d'autre à voir que le noir. De retour à la maison, Bruno n'avait plus le cœur à discuter, et moi non plus. Nous allâmes nous coucher mais, une heure plus tard, je l'entendis se lever, jeter des bûches dans le poêle, se verser à boire.

En sortant de ce trou, au petit matin, nous nous retrouvâmes dans la lumière qui suit les longues tempêtes de neige. Le soleil derrière nous resplendissait et la montagne devant éblouissait la combe. Nous vîmes tout de suite ce qui s'était passé : le couloir principal du Grenon, celui-là même que Bruno avait dévalé quelques heures plus tôt, avait fait tomber une avalanche qui partait trois ou quatre mètres plus haut, au plus fort de la pente. Dans sa chute, la neige avait raclé la montagne en profondeur, au point de dénuder la roche qu'il y avait dessous et de charrier terre et blocaille. Le grand couloir ressemblait à une plaie obscure, à présent. Après une chute de cinq cents mètres, l'avalanche était allée se fracasser dans la combe avec une telle force qu'elle avait défoncé la glace du lac. C'était ça, le deuxième bruit que nous avions entendu. Au pied du couloir, il n'y avait plus de doux replat mais un amas de neige sale et de blocs de glacier, formant comme des séracs. Les corbeaux de haute montagne voltigeaient au-dessus de nous et se posaient tout autour. Je n'arrivais pas à comprendre ce qui les attirait. Il y avait quelque chose de terrible et de fascinant, dans ce spectacle, et sans avoir à échanger un mot, nous décidâmes de descendre voir la scène de plus près.

Les proies que les corbeaux étaient occupés à se partager n'étaient autres que des cadavres de poissons. Petites truites d'argent surprises en pleine léthargie hivernale, arrachées aux eaux noires et denses où elles dormaient, et échouées sur un lit de neige. Qui sait si elles avaient eu le temps de comprendre ce qui leur arrivait. Ç'avait dû être comme une bombe : à en juger les plaques retournées et brisées, la couche de glace faisait plus d'un demi-mètre d'épaisseur. Dessous, l'eau avait déjà recommencé à geler. Mais cette couche de glace était encore fine, transparente, foncée, comme celle que j'avais vue en automne. Des corbeaux se disputaient une truite non loin de là et, sur le moment, la vue de cette ripaille me parut insupportable ; je les chassai en faisant deux pas et en leur lançant un coup de pied. Sur la neige il ne restait plus qu'une bouillie rose.

« Sépulture céleste, dit Bruno.

— Tu as déjà vu un truc pareil, toi ? demandai-je.

— Non, moi, non », répondit-il. Il avait l'air admiratif.

J'entendis un hélicoptère approcher. Dans le ciel il n'y avait pas un nuage ce matin. Sous les premiers rayons du soleil, des corniches glissaient des avancées du Grenon, et de petites avalanches partaient des couloirs. C'était comme si la montagne commençait à se libérer de toute la neige qui lui était tombée dessus. L'hélicoptère vola au-dessus de nos têtes, ne remarqua pas notre présence et continua son chemin. Il me revint alors à l'esprit que nous étions à quelques kilomètres à peine des pistes du mont Rose, un 27 décembre, un matin de soleil et de neige fraîche : une journée idéale pour skier. Peut-être contrôlaient-ils les routes de là-haut. J'imaginai, vus du ciel, les files de voitures, les parkings bondés, les remontées mécaniques qui tournaient sans discontinuer. Et juste derrière la crête, deux hommes devant une avalanche, entourés de poissons morts.

« Je vais y aller », dis-je pour la deuxième fois en l'espace de quelques semaines. Deux fois j'avais essayé, et deux fois j'avais battu en retraite.

« Oui, ça me semble juste, dit Bruno.

— Tu devrais descendre avec moi.

— Encore ? »

Je le regardai. Quelque chose lui était passé par la tête qui le faisait sourire. Il dit : « Ça fait combien de temps qu'on est amis ?

— Ça fera trente ans dans un an, je crois, répondis-je.

— Et ça ferait pas aussi trente ans que t'essaies de me faire descendre ? »

Puis il ajouta : « T'inquiète pas pour moi. Cette montagne ne m'a jamais fait de mal. »

Je ne me rappelle pas grand-chose d'autre de ce matin-là. J'étais choqué et trop triste pour avoir les idées claires. Je me rappelle que j'avais hâte de laisser derrière moi ce lac et cette avalanche, mais qu'arrivé dans le vallon, je retrouvai le plaisir de la descente. Je rejoignis ma trace de la veille et découvris qu'avec les raquettes je pouvais descendre en faisant de grands sauts, même dans les endroits les plus raides. Et même, plus raide était la pente, plus je pouvais me jeter et me laisser tomber. Je ne m'arrêtai qu'une seule fois, au moment de traverser le torrent, parce que j'avais pensé à quelque chose et voulais vérifier si c'était vrai. Je descendis entre les deux rives enneigées et creusai le lit avec mes gants. Juste en dessous, je trouvai de la glace, une couche fine et transparente que je brisai entre mes doigts. Je découvris que cette croûte protégeait une veine d'eau. On ne le voyait pas ni ne l'entendait, mais mon torrent coulait encore sous la neige.

L'hiver 2014 se révéla par la suite, pour les Alpes occidentales, l'un des plus neigeux des cinquante dernières années. Dans les stations de ski en altitude, on mesura trois mètres de neige fin décembre, six fin janvier, huit fin février. Du Népal, en lisant ces chiffres, j'avais de la peine à imaginer ce que pouvaient donner huit mètres de neige en haute montagne. C'était assez pour ensevelir les bois. Et bien plus qu'il n'en faut pour ensevelir une maison.

Un jour de mars Lara m'écrivit de lui téléphoner dès que je le pouvais. Elle me dit ensuite de vive voix qu'on ne trouvait plus Bruno. Ses cousins étaient montés prendre des nouvelles, mais à la barma ça faisait longtemps que la neige n'avait pas été dégagée, la maisonnette avait disparu et la paroi de roche elle-même était à peine visible. Les cousins avaient appelé les secours et une équipe envoyée en hélicoptère avait creusé jusqu'à atteindre le toit. Les secouristes avaient fait un trou dans les planches et s'attendaient déjà, comme il arrivait parfois aux vieux montagnards, à trouver Bruno dans son lit, saisi d'un malaise et mort congelé. Mais dans la maison il n'y avait plus personne. Et il n'y avait pas de traces non plus dehors depuis les dernières chutes de neige. Lara me demanda si j'avais une idée, étant donné que j'étais le dernier à l'avoir vu, et je lui dis de regarder dans la cave s'il n'y avait pas de vieux skis. Non, même eux n'étaient plus là.

Les secours alpins commencèrent à battre la zone avec leurs chiens, et pendant une semaine je l'appelai tous les jours pour avoir des nouvelles, mais il y avait trop de neige sur le Grenon et, avec le printemps, on entrait dans la pire saison pour les avalanches. En mars, les montagnes en furent martelées. Après tous les malheurs de cet hiver, au cours duquel on recensa vingt-deux morts sur les versants italiens, la disparition d'un montagnard dans le vallon au-dessus de chez lui n'émut plus grand monde. Pour Lara comme pour moi, il parut inutile d'insister pour qu'ils continuent les recherches. Bruno, ils le trouveraient avec la fonte. Il referait surface en plein été dans un couloir, et les corbeaux le découvriraient en premier.

« À ton avis, c'est ce qu'il voulait ? me demanda Lara au téléphone.

— Non, je ne crois pas, mentis-je.

— Tu arrivais à le comprendre, pas vrai ? Vous vous compreniez, tous les deux.

— J'espère.

— Parce que moi, parfois, je me dis que je ne l'ai même pas connu. »

Mais alors, me demandai-je, qui d'autre que moi l'avait connu sur cette terre ? Et qui d'autre que Bruno m'avait connu, moi ? Si tout ce que nous avions partagé était demeuré notre secret, qu'en restait-il maintenant que l'un de nous deux n'était plus ?

Quand ces jours finirent la ville me parut insupportable, et je décidai d'aller faire un tour seul en montagne. Le printemps est une saison splendide dans l'Himalaya : le vert des rizières domine les flancs des vallées, un peu plus haut fleurissent les forêts de rhododendrons. Mais je ne voulais ni revenir dans un endroit que je connaissais, ni remonter le cours d'aucun souvenir. Je choisis une zone où je n'avais encore jamais mis les pieds, achetai une carte et me mis en route. Ça faisait si longtemps que je n'avais pas ressenti la liberté et la joie de l'exploration. À un moment donné, je dus abandonner le sentier, remontai une pente et atteignis une crête, juste pour le plaisir de découvrir ce qu'il y avait de l'autre côté, et de m'arrêter par hasard dans un village qui me plaisait, passant un après-midi entier au milieu des flaques d'un torrent. C'était ça, notre façon d'aller en montagne, à Bruno et à moi. Et je me dis que ce serait aussi ma façon, les années qui suivraient, de garder notre secret. Il y avait bien une maison, là-haut à la barma, qui avait le toit percé, et ça ne lui laissait plus beaucoup de temps à vivre, mais je sentais aussi qu'elle ne servait plus à rien, et j'y pensais comme à une chose lointaine.

De mon père j'avais appris, longtemps après avoir arrêté de le suivre sur les sentiers, que dans certaines vies il existe des montagnes auxquelles il est impossible de retourner. Que dans les vies comme la mienne ou la sienne, il est impossible de retourner à la montagne qui est au centre de toutes les autres, et au début de l'histoire de chacun. Et qu'il ne reste qu'à errer sur les huit montagnes à celui qui, comme nous, sur la première et la plus haute, a perdu un ami.

Fontane 2014-2016

*Cette histoire est pour l'ami qui l'a inspirée
en me guidant là où il n'y avait pas de sentiers.
Et pour la Foi et la Chance qui l'accompagnent
depuis le début, avec tout mon amour.*

Le Livre de Poche s'engage pour l'environnement en réduisant l'empreinte carbone de ses livres. Celle de cet exemplaire est de : 300 g éq. CO₂ Rendez-vous sur www.livredepoche-durable.fr

PAPIER À BASE DE FIBRES CERTIFIÉES

Composition réalisée par PCA

Achevé d'imprimer en juillet 2018, en France sur Presse Offset par
Maury Imprimeur – 45330 Malesherbes
N° d'imprimeur : 229309
Dépôt légal 1ʳᵉ publication : août 2018
LIBRAIRIE GÉNÉRALE FRANÇAISE – 21, rue du Montparnasse – 75298 Paris Cedex 06

48/9976/7